JN023387

未来科学2070

―サイバー時代を支える日本の技術―

清水美裕
YOSHIHIRO SHIMIZU

幻冬舎MC

人類は宇宙へ進出する！

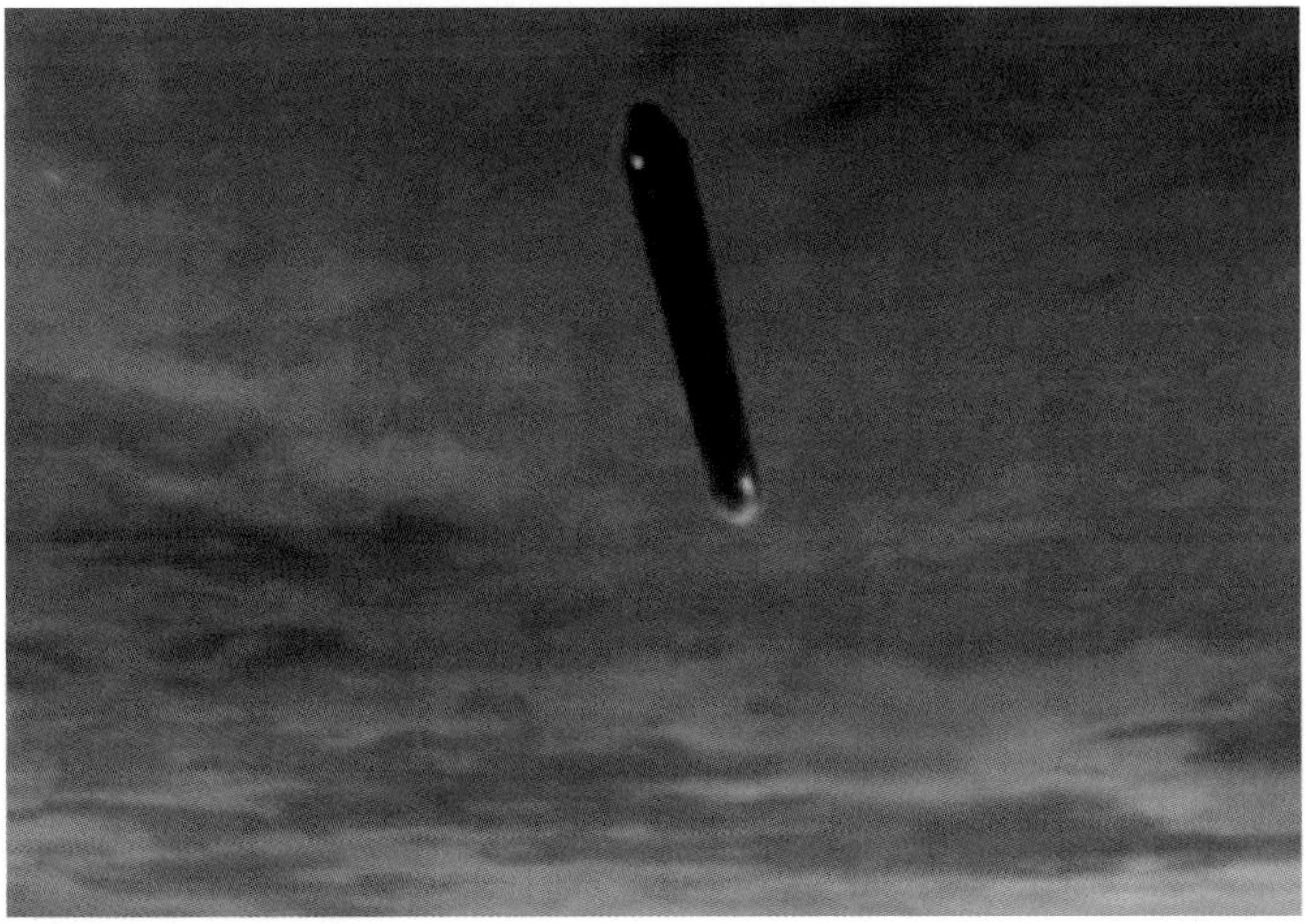

暁の空へ浮上する大型重力場宇宙船（EOS、ESES）のイメージ

「重力場機関」の技術は、燃料を燃やして推進力を得るロケットエンジンとは全く異なるものだ。宇宙空間に存在する重力に推進機関を共振させ、推力や斥力《せきりょく》を生み出している。そこから、従来の宇宙工学の常識とはかけ離れた「低エネルギー」の「高速推進機関」が登場するのだ。（4章参照）

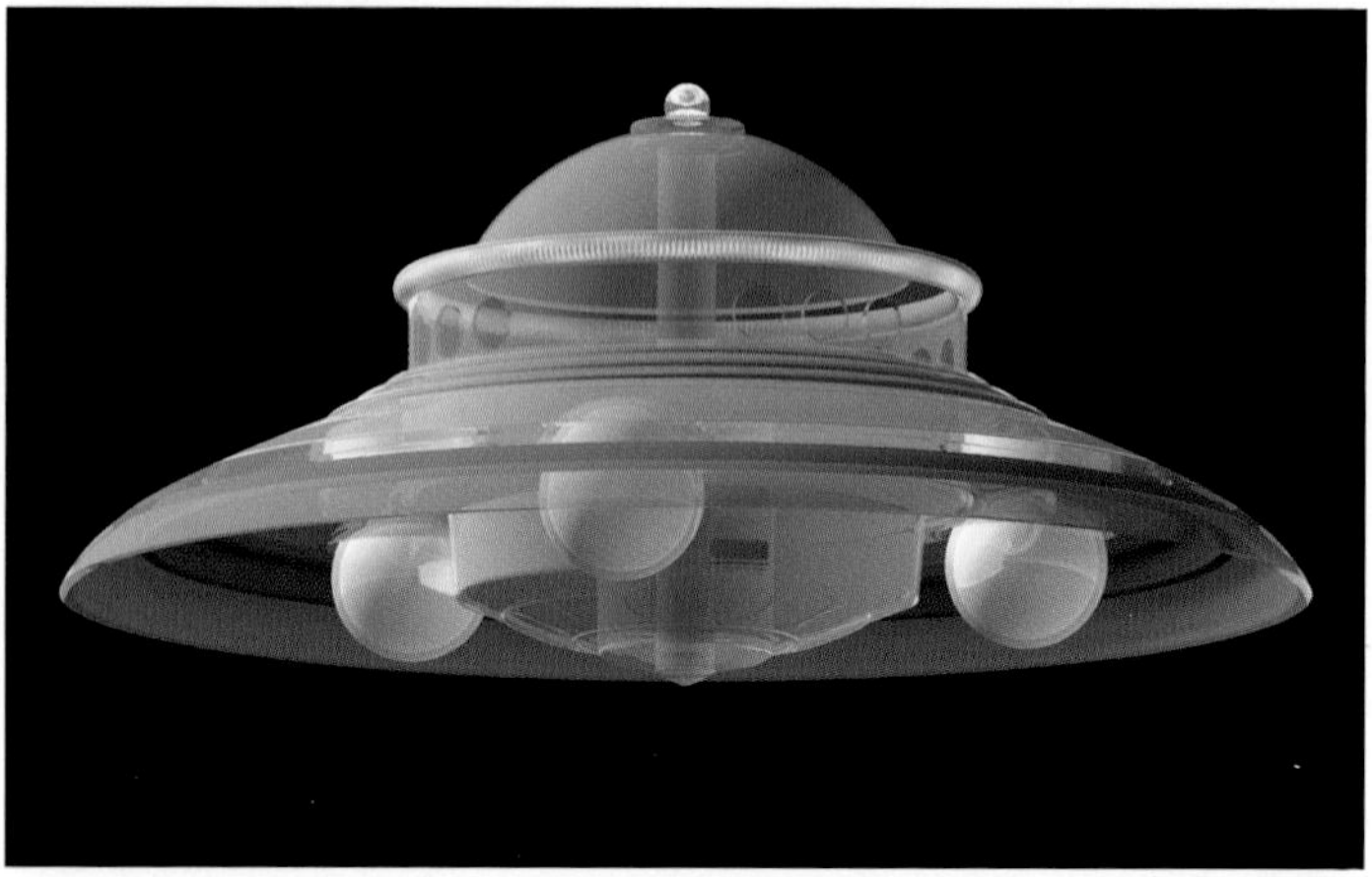

スカウトシップ型の小型重力機のイメージ

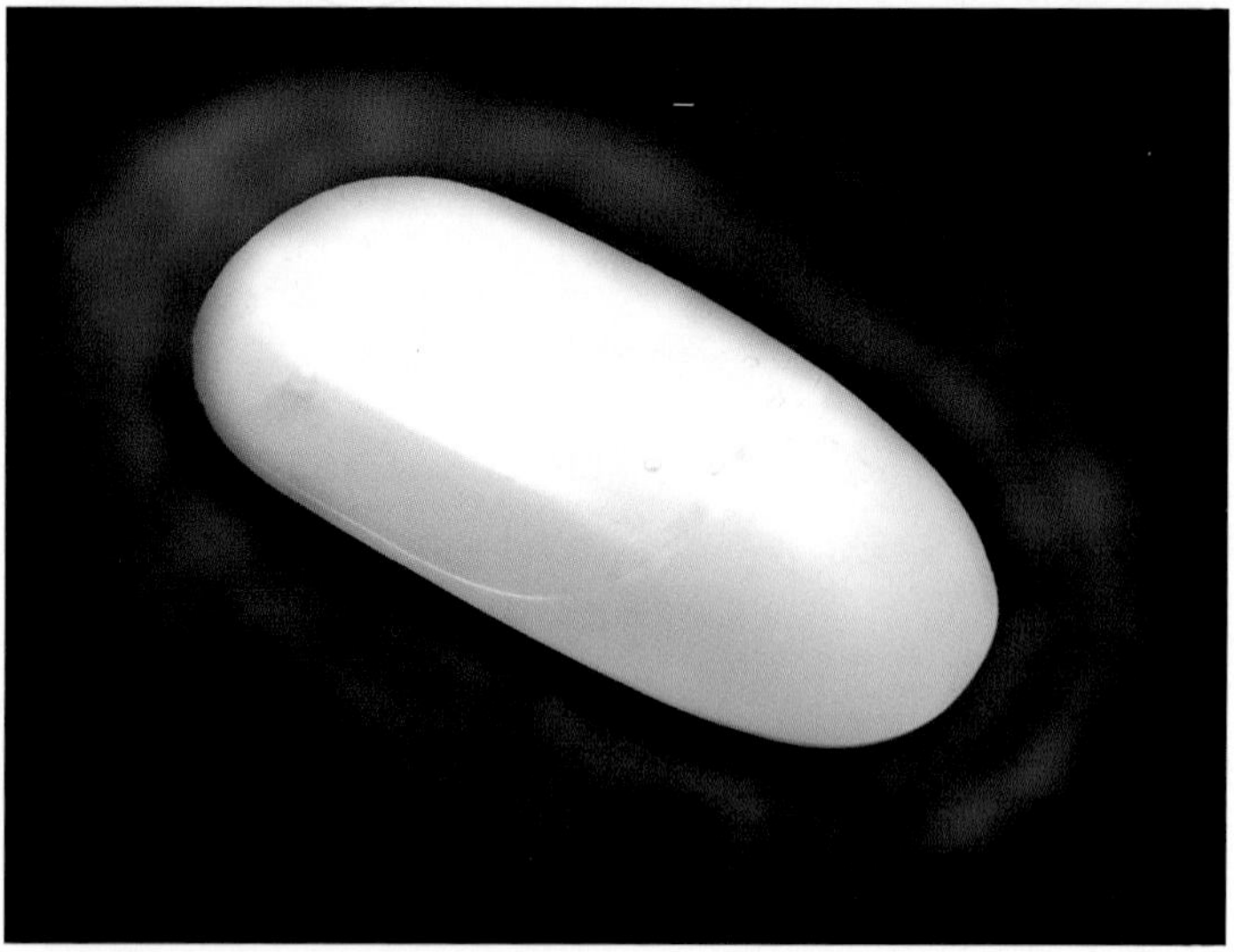

人工衛星や宇宙探査機として活動する中型重力場宇宙船のイメージ

人類の未来は明るい！

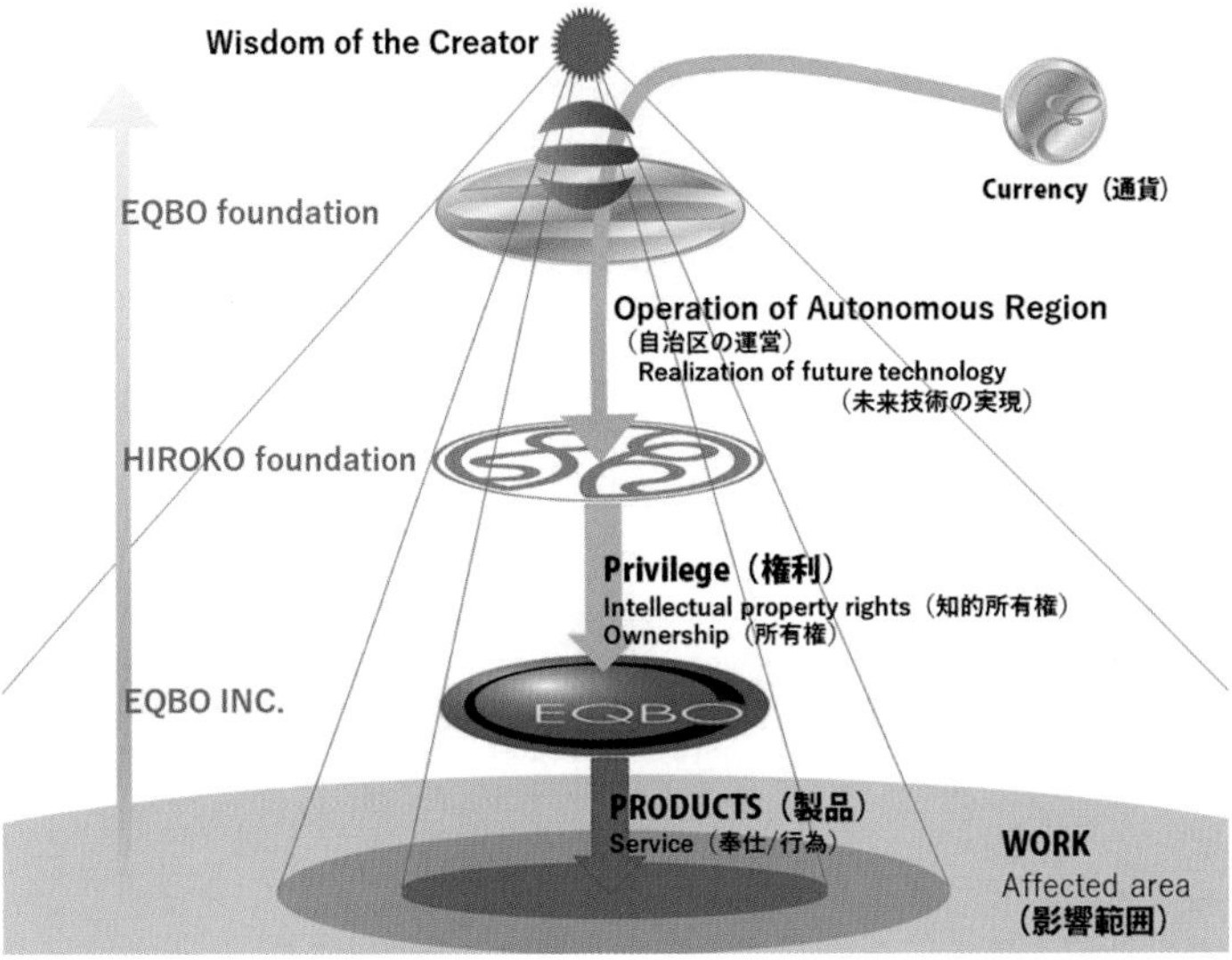

事業展開のモデル図

日本の技術と民間の総合力が、未来の世界を一変させる！

従来不可能と考えられてきた分野の基礎技術を、財団が管理し、会員企業に提供。実用化に向けて技術を指導しながら新たなビジネスを切り拓いていく支援を行なっている。

バーチカル地下農場——１章「復活」

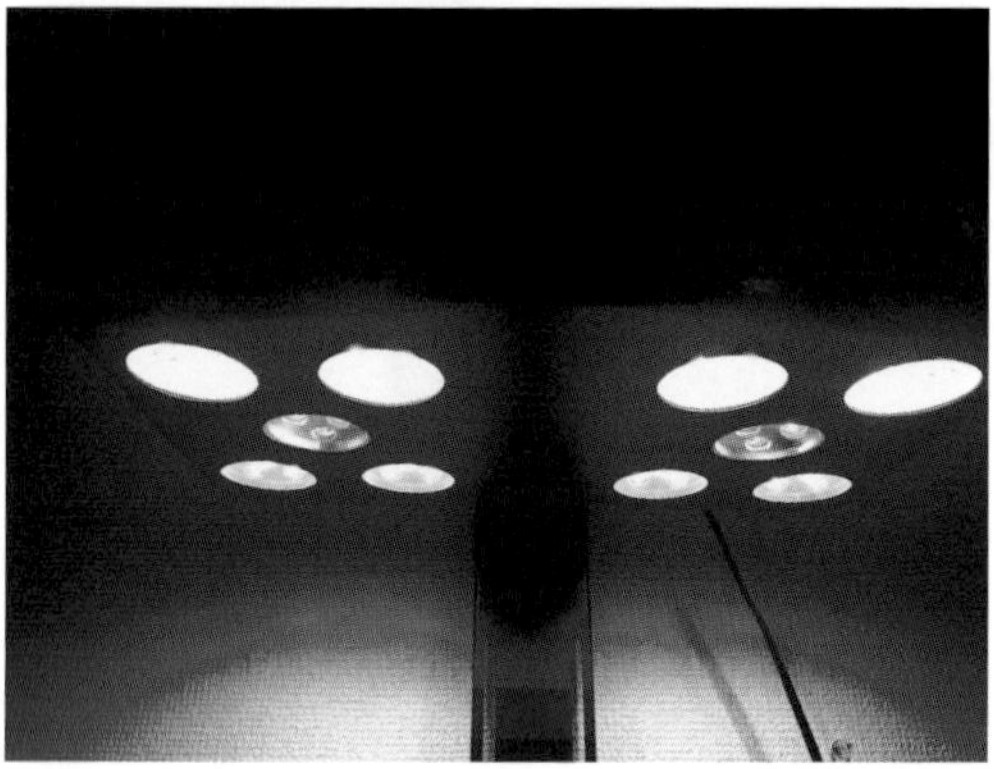

バーチカル地下農場で作物を育てる「フルスペクトルライト」の一例

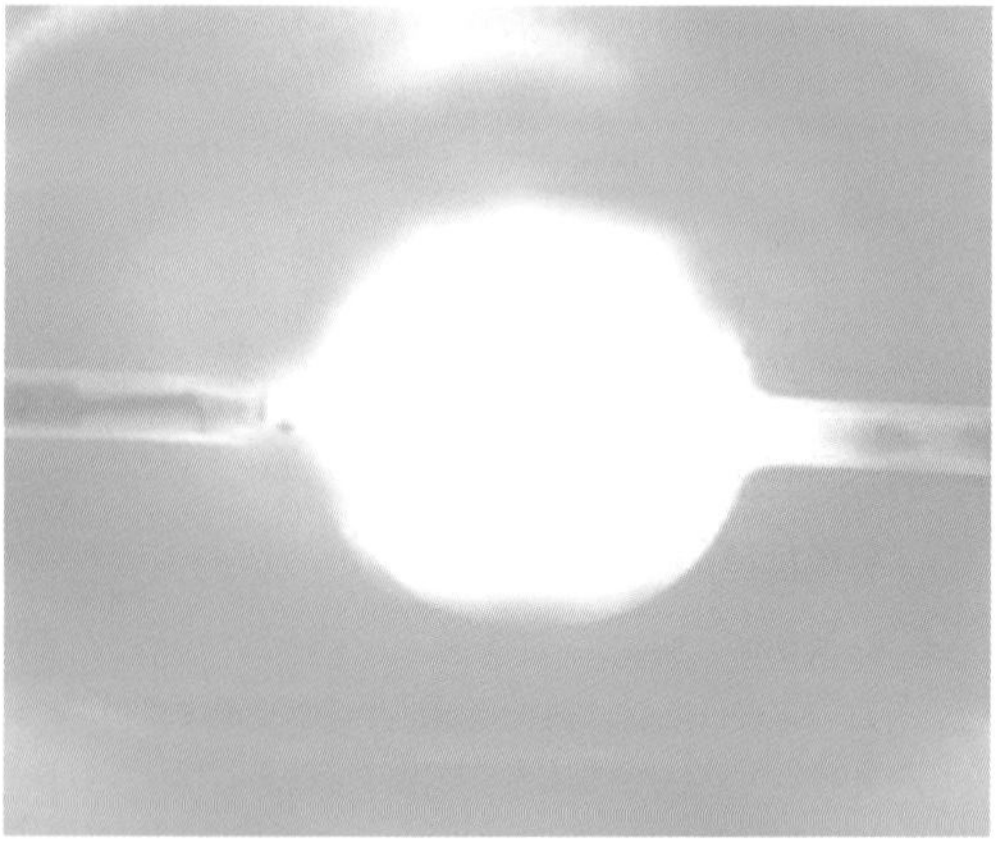

フルスペクトルライトの光源の例

地下農場は、実質的に地表面積の数倍に当たる農地を確保できるうえ、通常なら耕作好適地が限られている都市部でも、ビルを建てるのと同じように農地を生み出すことができる。

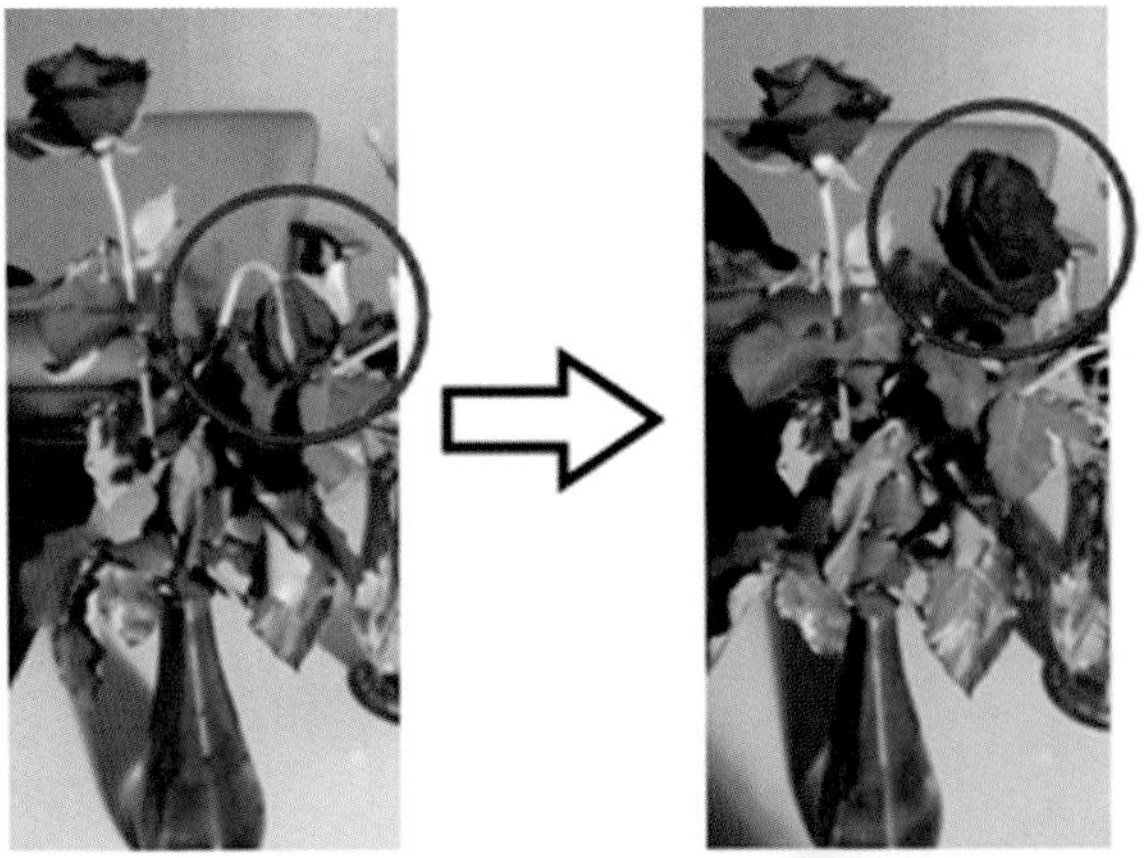

フルスペクトルライトの実験：8時間照射でしおれたバラが
生気を回復した（左before、右after）

製品別スペクトルの対比

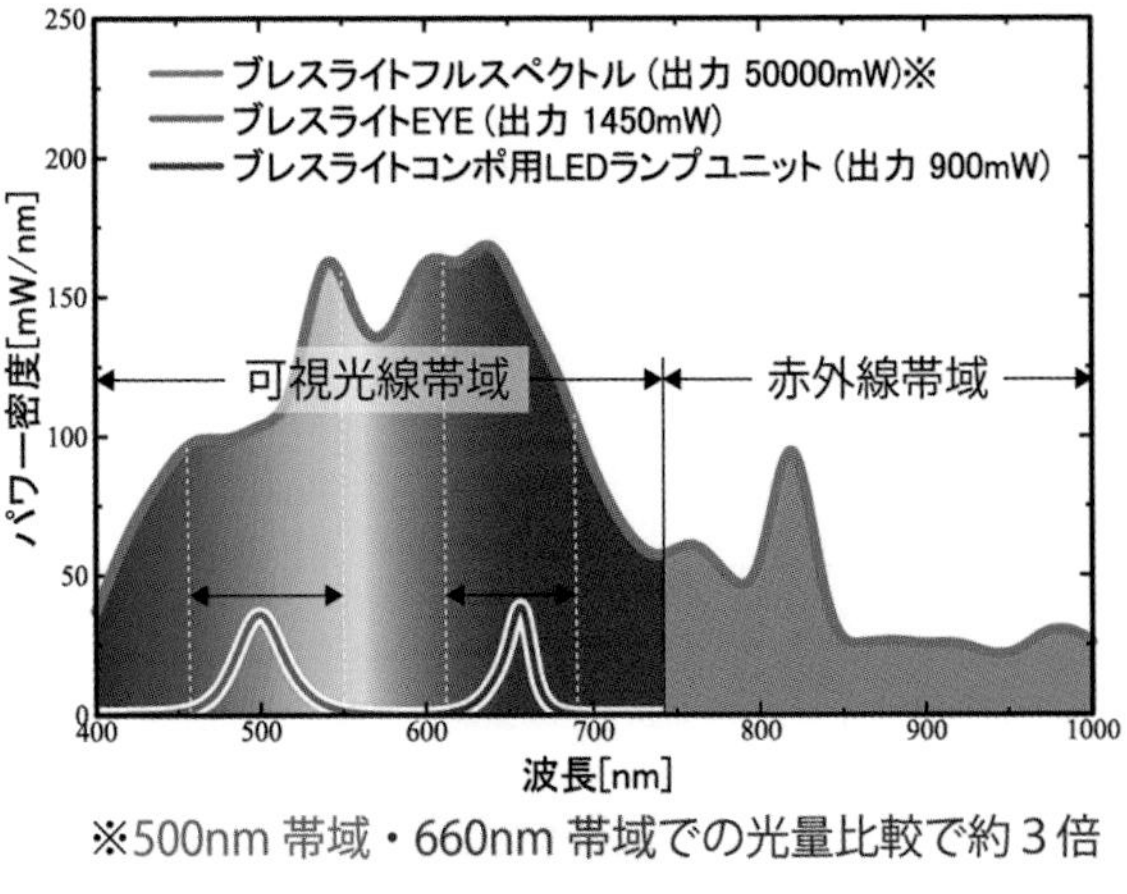

※500nm 帯域・660nm 帯域での光量比較で約３倍

フルスペクトルライトの製品別スペクトルを対比したグラフ

超電導構造体——２章「目覚めた人々」

コンピュータに飛躍的な性能の進化をもたらす超電導構造体（開発中の薄膜ウエハ）

超電導構造体が基幹インフラとなる未来のエレクトロニクスは飛躍的に発達する

超電導構造体とは、従来は絶対零度（０Ｋ《ゼロケー》＝－273.15℃）ないし100Ｋ（－173℃）程度の超低温で起こる現象を、常温域で起きるように設計した薄膜構造体である。

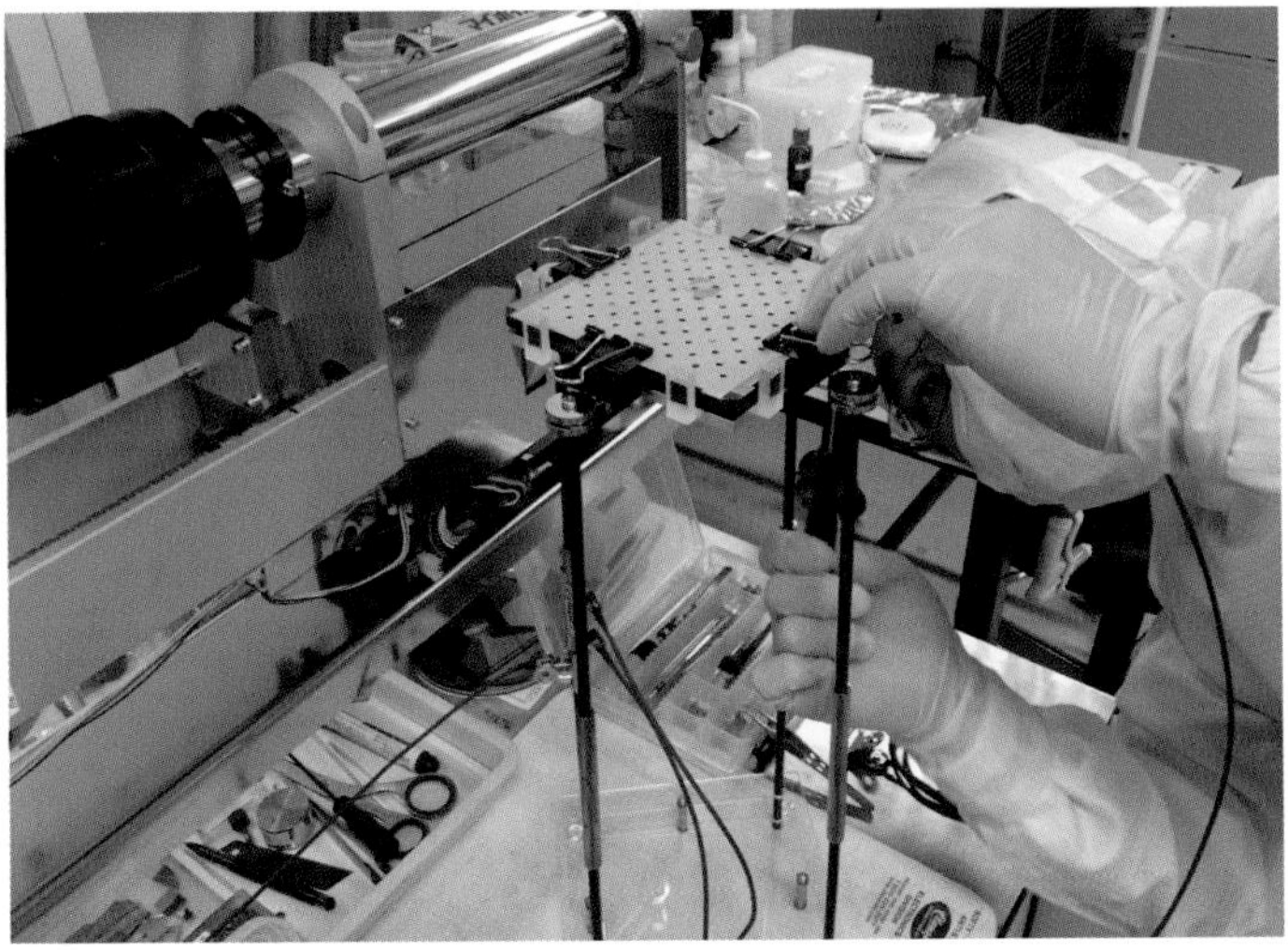

超電導構造体の試作実験風景

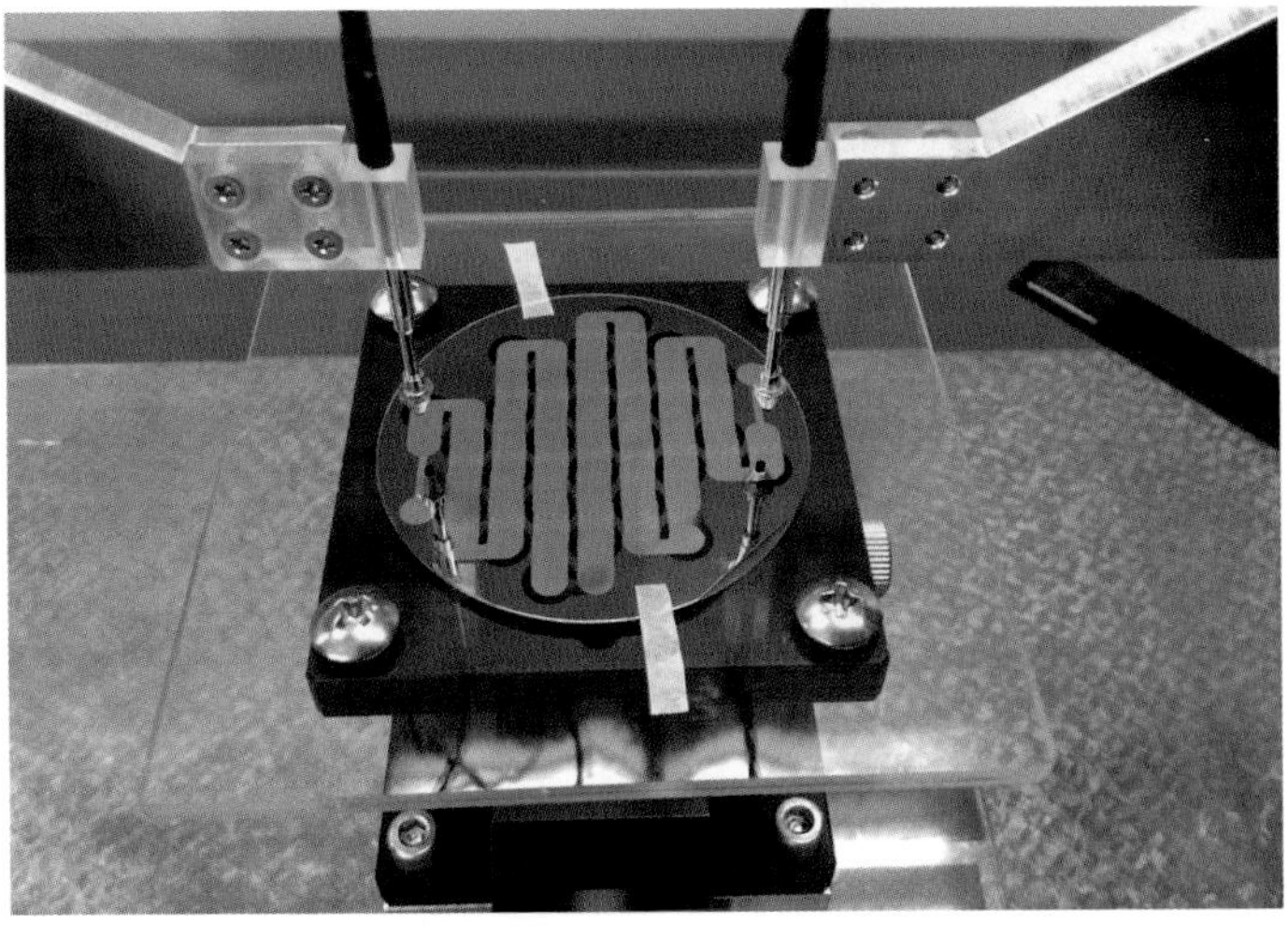

超電導構造体のサンプル計測

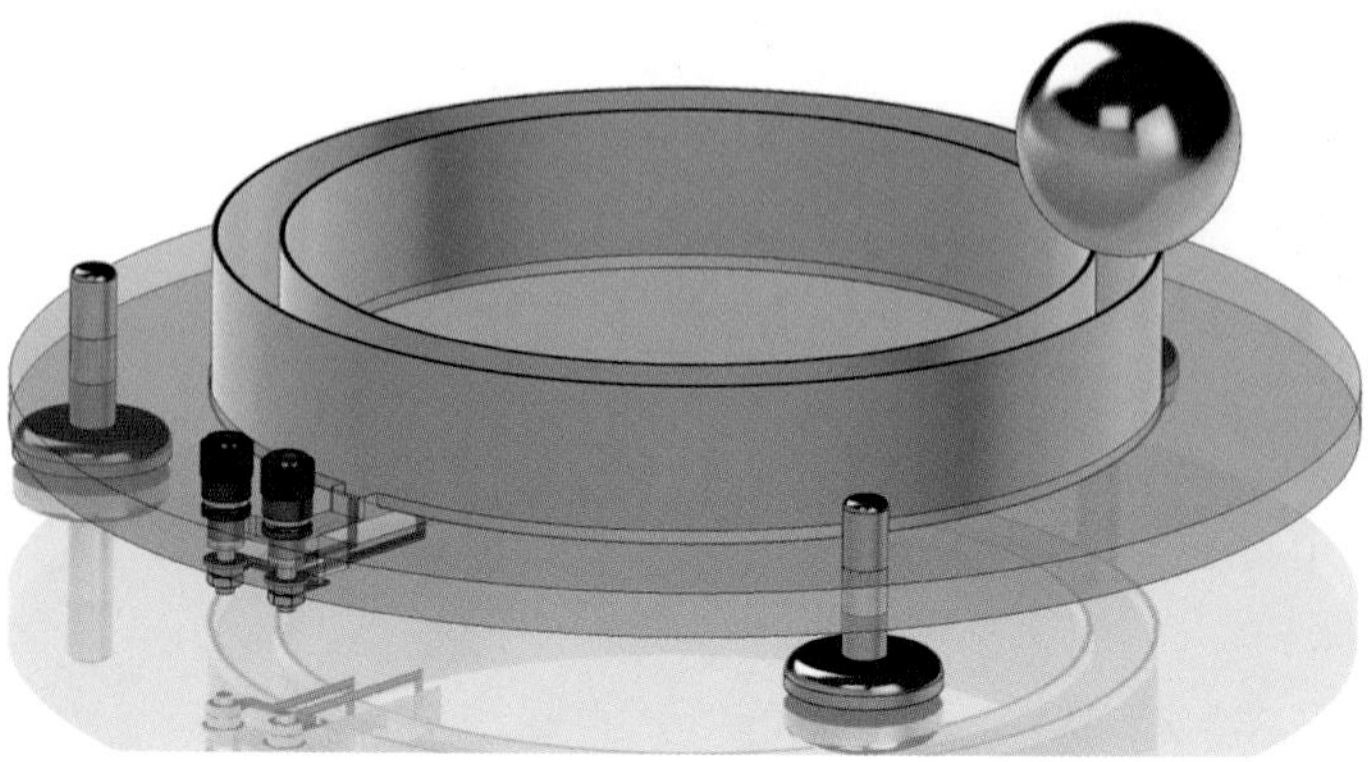

極めて小電力で実現した「動力発生装置」のモデル（特許出願済み）

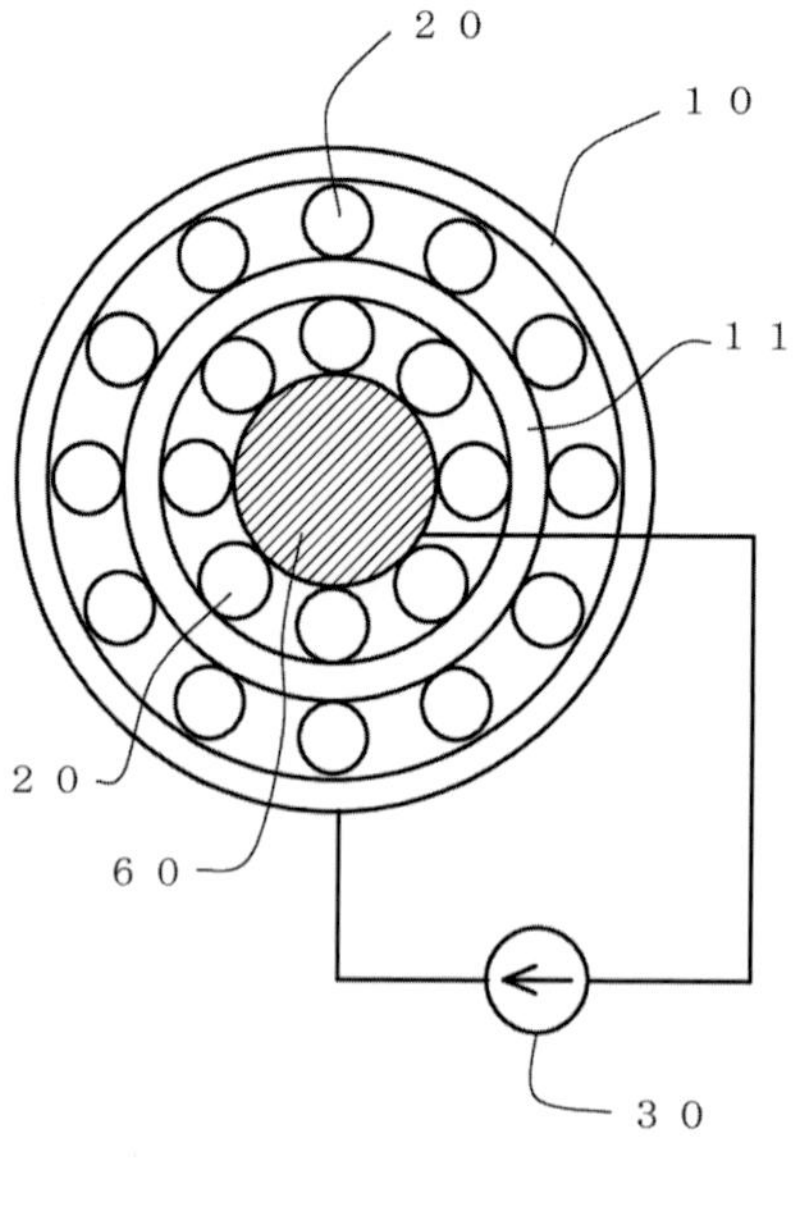

動力発生装置の特許図面

ヨタヘルツジェネレーター

―― 3章「物質を産みだす人類」

水創出プラントに配置されるヨタヘルツジェネレーター（小型）のイメージ

超電導材の普及で実現するヨタヘルツ領域の振動技術。回路内に１秒間に10の24乗倍の高周波の渦（振動）を起こすと、そこに存在する「まだ物質サイズ以下の粒子」に運動エネルギーが加励され、粒子（定在波）として実体化する。そうしてできる水は、水蒸気になる以前のガス状の粒子だが、発生した粒子が膨張する圧力に押され、上下の電磁石で円周状に加速されて連続的に湧き出してくる。

（写真は米テキサス大学で開発された小型粒子加速器）

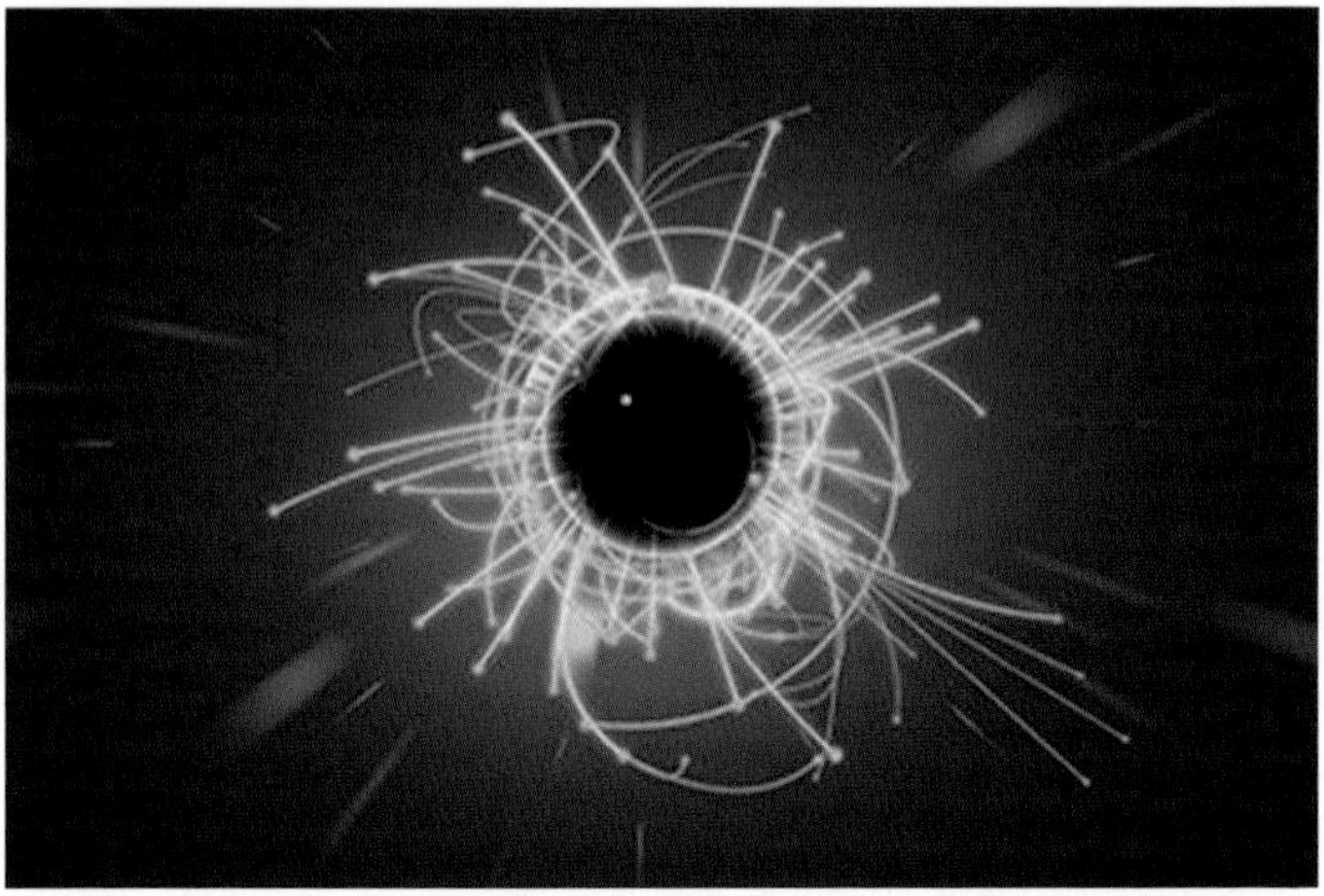

物質未満の粒子に高周波の振動でエネルギーを与えると
電子軌道が拡張して物質化する

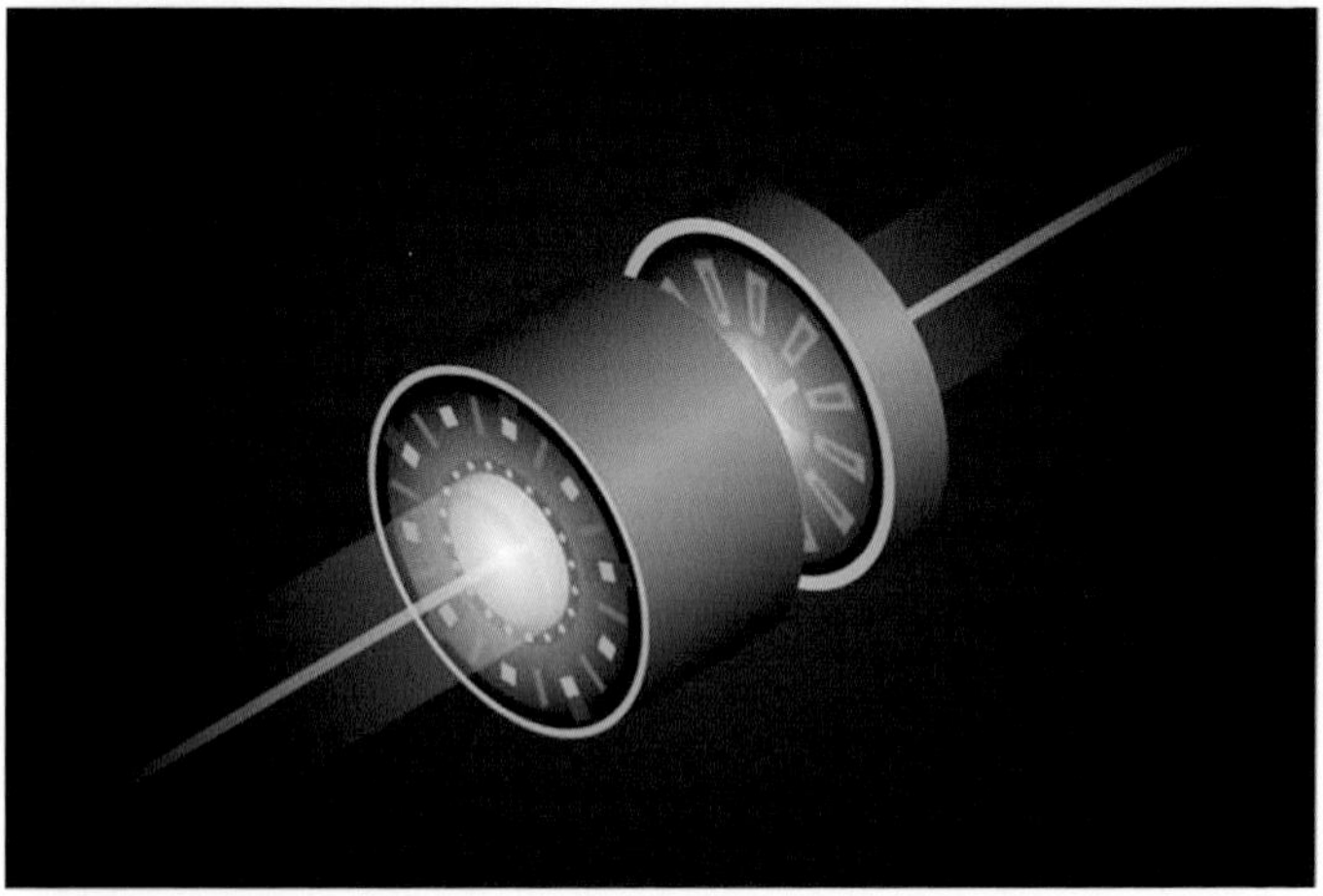

物質未満の粒子を物質化する「ヨタヘルツジェネレーター」の
中心構造（予想図）

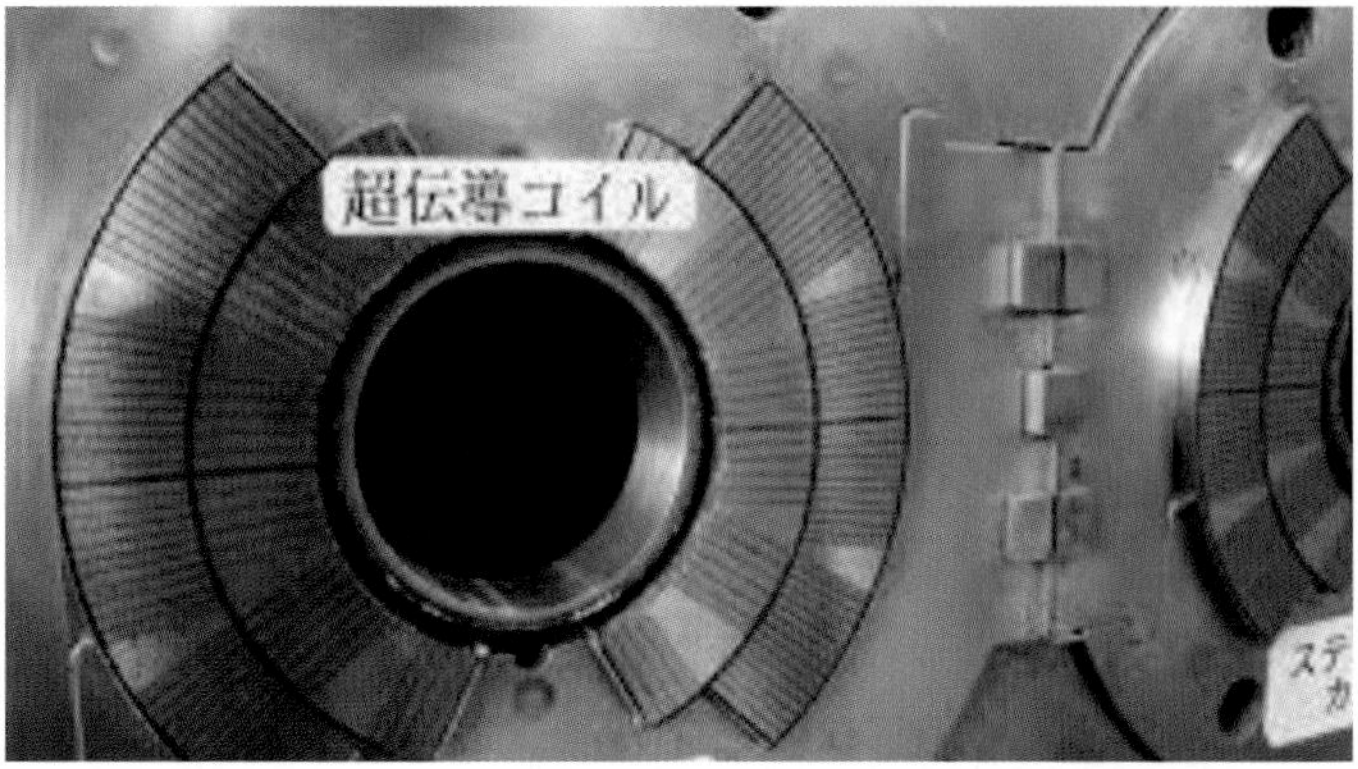

ヨタヘルツジェネレーターに使用される超電導コイルのイメージ

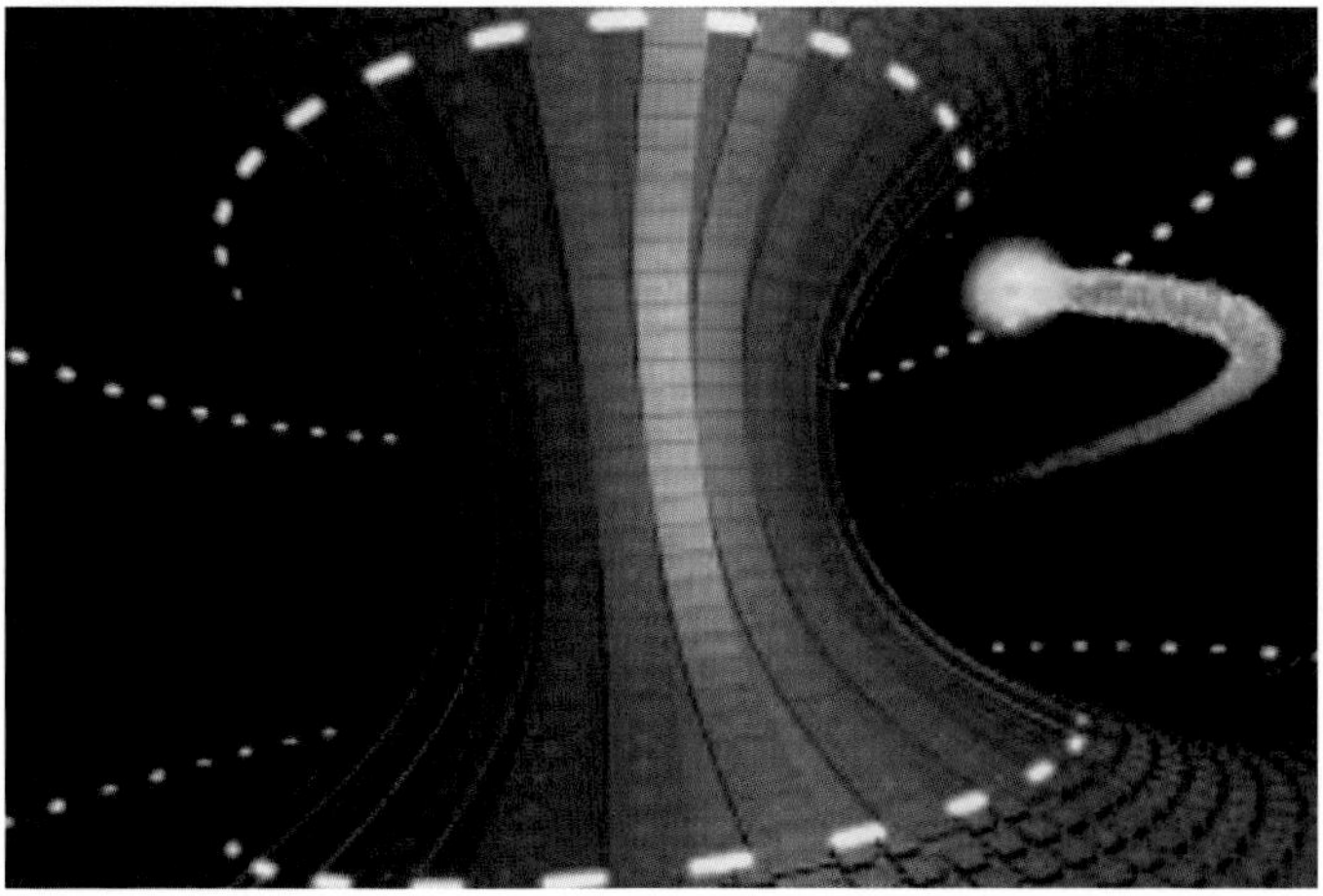

ヨタヘルツジェネレーター内で物質が生成されるイメージ

想念感知技術 ── 4章「思考と心」

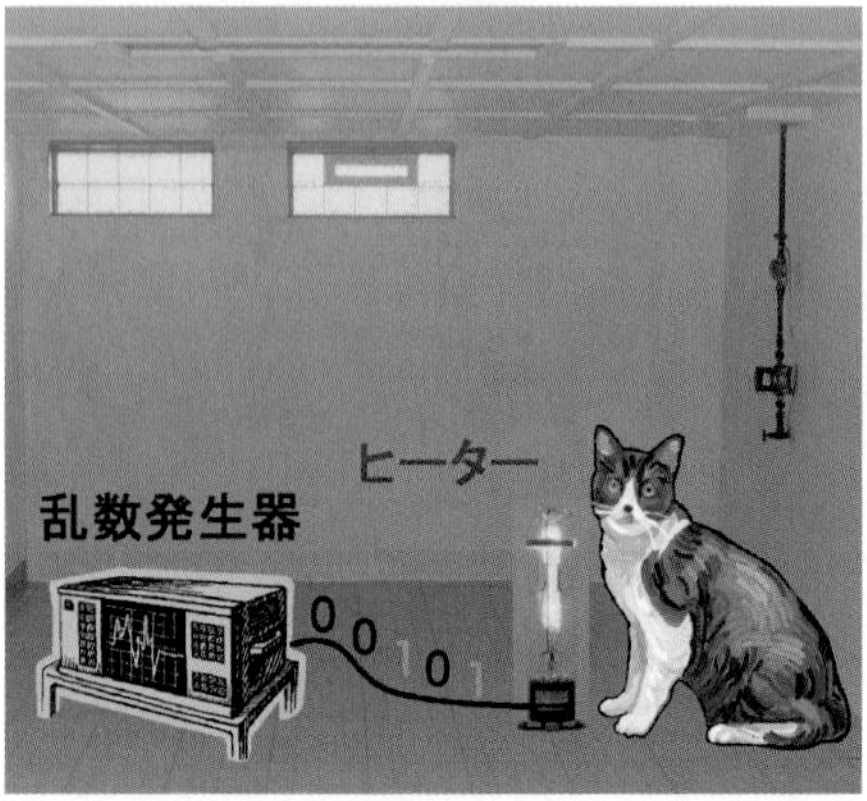

寒い室内のヒーターに「想念センサー」をつなぐと、ネコの思いを感知しヒーターの点灯確率が上がる

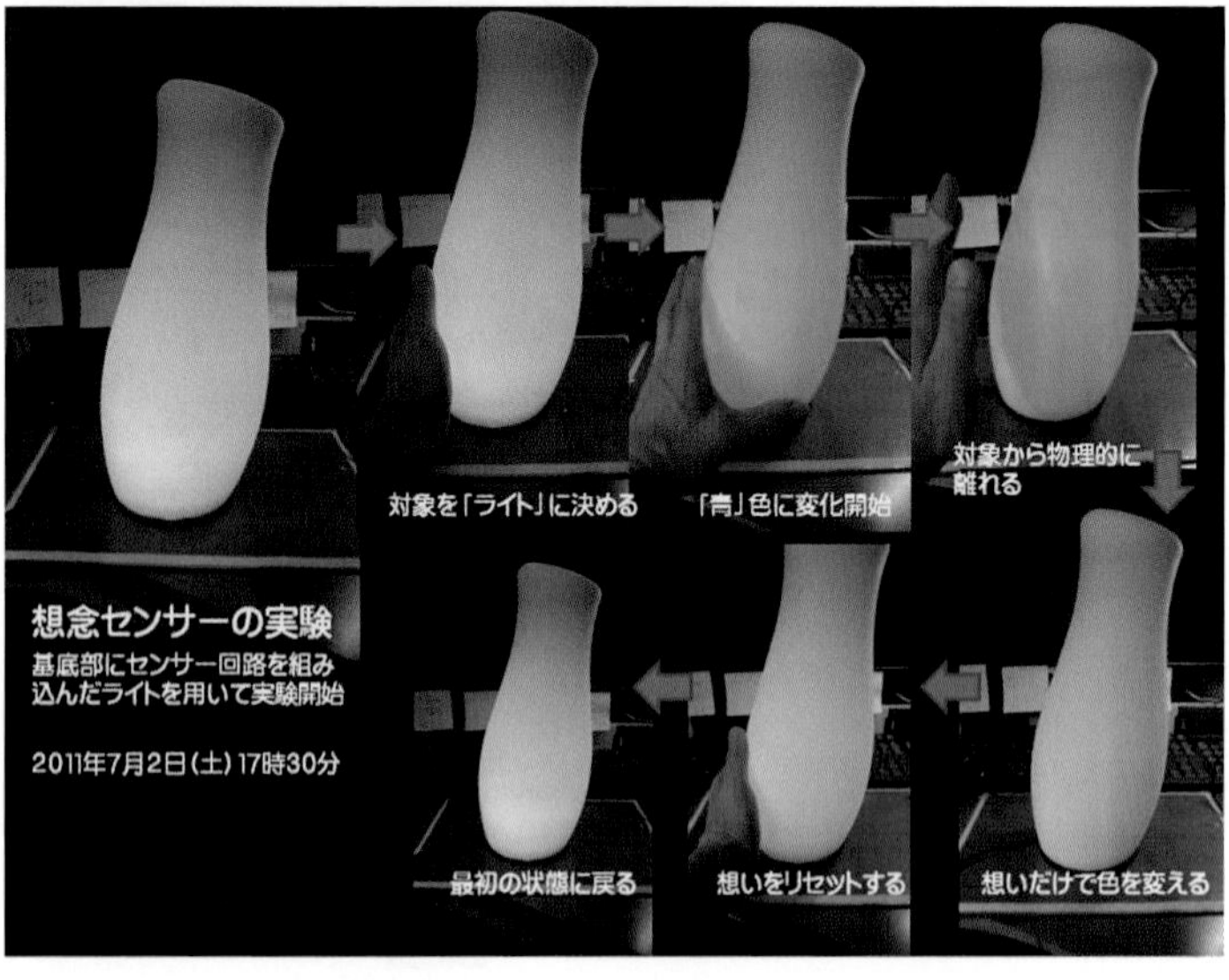

元プリンストン大学の研究者が開発した、
想念を感知して色を変えるライト

研究中の想念感知技術による「想念センサーゲーム」をプレイする子ども

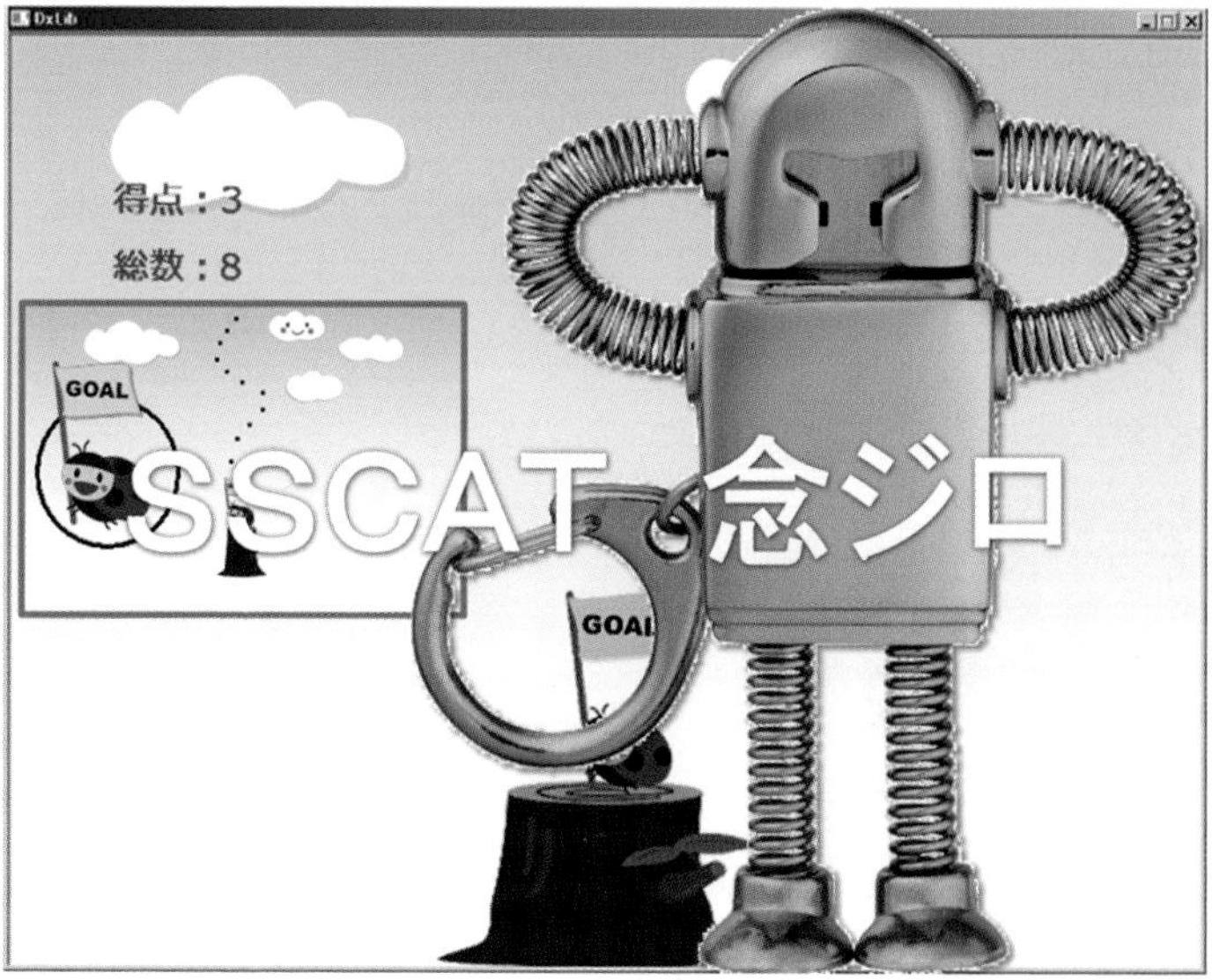

想念センサーゲーム「念ジロ」の画面とアプリを供給したUSB

電磁バリア——5章「電気の傘」

Eアイランドを守る電磁障壁のイメージ

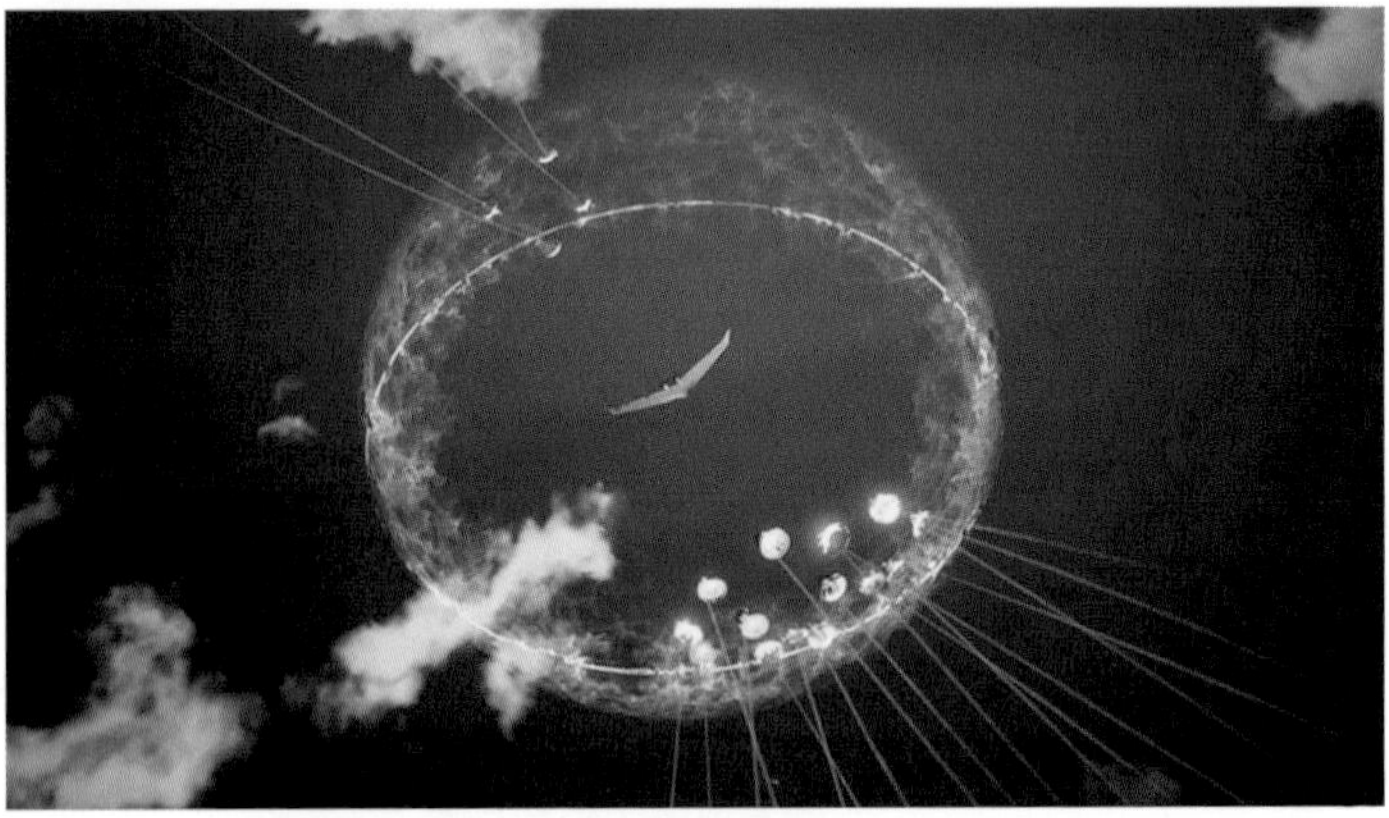

航空兵器などが電磁障壁を張り、
物理的な攻撃を無効化することも可能になる

「エレクトリック・アンブレラ」身に着けた装置で周囲に電磁バリアを張って雨風をよける

見えない雨傘　見えない傘は、前物質空間の基準周波数に変調を与え、周波数の異なる空間領域を「一層」創り出すことで具現する。ベルトを腰に巻くと体表から１～２メートルの空間に、周波数の異なる高周波振動が輻射され、両者の差分の変調空間が外部からの侵入にバリアのように働いて、雨や、強い風で飛んできた物体をはじき返すのだ。

未来へ！

2016年、都内で「クーロン輻射技術」の公開実演が行われた
（5章参照）

2020年に公開する「ガンマリズム振動チェア」の電気回路（3章参照）

未来科学2070

サイバー時代を支える日本の技術

はじめに

２０２０年、新型コロナウイルス感染症（ＣＯＶＩＤ－19）の流行は１８０以上の国と地域に及び、２０２０年5月現在、死者数は32万人を超えています。

世界各国は感染拡大を防ぐため主要都市において都市封鎖や移動制限を実施し、これまで日常であった「人と人が接すること」を禁止・自粛要請しました。その結果、経済の停滞による企業破綻や失業は１９２９年の世界大恐慌を上回る勢いで一気に深刻化していきます。また感染者数の急増に伴う医療体制の崩壊、学校閉鎖による教育への多大な影響など、人類はかつて経験したことのない社会的ダメージを受けています。

そして今回のウイルス・ショックは、さまざまな分野においてこれまでの常識、既成概念がもはや通用しないことを私たちに突きつけたのです。

コミュニケーションでは、人と人との接し方に転換が求められました。

行動を制限された社会活動の中でテレワークやテレスタディー、ネットショッピングなどの需要が拡大…。例えば、今まではビジネスの場面で、会議はクライアントには対面で応対するのが当たり前でした。しかし、いまやオンラインを活用した遠隔会議や接客が主流となり始めています。発達したインターネット環境が新しいコミュニケーションのありかたを可能にしたのです。

今後もどんな未知なる見えない恐怖が発生するかわからない世の中において、インターネット社会の拡大や情報伝達スピードはますます加速していくでしょう。

人間は「逆境から学ぶもの」です。新型コロナウイルス感染拡大による社会や経済の混乱を智恵と工夫で乗り越え、その教訓から新しい価値を生み出していくようなたくましさを潜在的にもっています。

これからもインターネットやＩｏＴは進化し私たちの生活をより便利なものに変えていくでしょう。こうした時代では大局的な視野に立って確かな情報を選び取り物事の「本質」を見極める力をもつことが、ますます重要になります。言い換えるなら、さらなる情報化・デジタル化が進むサイバー社会にどう向き合いどう生きていくかが問われているのです。

私は、技術開発に携わる立場から未来社会の姿を予見して20年前にエクボ株式会社を設立し、日本と世界に貢献する「未来科学」の基礎技術を研究開発、提供してきました。

前著『未来科学２０５０』は、現在研究が進んでいる最先端の科学技術を紹介しながら今の常識からは想像しにくい未来社会の姿を『物語』を交え皆さんに伝え、未来への「羅針盤」を示すものでした。

本書は、その延長線上にあります。

コロナは、『人類の進化の時計の針を回した！』のです。今、人類に秘められた力が発動し始めています。生物は危機を感じた時、遺伝子の潜在力が呼び起こされることが知られています。

どんなに準備しても予測できない危機は、起きます。その時、皆さんがそれを「チャンス」と捉え、誰より発展を先取りし「ベクトル」を未来に向けられるひとりになれるのか？　ヒントにしていただければ幸いです。

皆さんと日本の未来に「本書」を捧げます。

はじめに

序章　胎動――ウイルス禍という人類進化の引き金

第１章

復活／２０２５年――ポストコロナの世界

第2章

目覚めた人々／2030年――サイバー・クライシス

第3章

物質を産みだす人類／2040年――振動の制御

第４章

思考と心／２０５０年――ＡＩとヒューマノイド

第5章

電気の傘／2060年——対EMP防諜戦

終　章

未来へ、そして宇宙へ／2070年

おわりに

序章

胎動——ウイルス禍という人類進化の引き金

突きつけられた「選択」

2020年代、世界は変化した。

中国の武漢で初の患者が確認された「新型コロナウイルス禍《か》」。「原因不明のウイルス性肺炎」の患者が最初に発見されたのは、中国の湖北省・武漢市で2019年11月下旬のことだった。このウイルス感染は、即座に党中央に通知された。翌12月下旬には、クラスター（小規模感染集団）の発生が現地保健当局によって報告されている。

時に、市には新型コロナウイルスがまん延し、市外へと拡散しつつあった頃であった。中共指導部は、なぜ感染症の拡大を看過したのか？　現地から情報を発信した医師らを処分し、情報の統制を強化までして。

処分を受けた李文亮《りぶんりょう》医師が12月に自身のSNSにアップした情報は、以下の通りだ。「市内の海鮮市場で7名がSARS《サーズ》（重症急性呼吸器症候群）にかかり、我々の病院の救急科に隔離されている」

李医師が「デマの流布者」として処分され、診療中に感染し、死亡（殉職）したことで、国の英雄に祭り上げられたのが「2月」だった。

新型コロナ恐怖情報とは？

新型コロナ禍の震源となった武漢市は、2020年1月23日、突然、中共指導部によって封鎖された。まさに晴天の霹靂《へきれき》だった！　党中央から「人の移動制限は不要」というアナウンスが続いていた最中のことだからだ。

そして…事態は、全世界をも巻き込む「新型コロナウイルス感染症の世界的大流行」という「イメージ」が、この事態を利用するさらに上位の人々の手によって配信され始めていた。

――イメージ操作？

新型コロナ感染は「イメージ操作」の産物だ。それは、印象操作、または情報操作と言い換えても良い。

世界は常に戦争をしている。だが、攻撃する武器が爆弾だとは限らない。

流行を測る基準とは――インフルエンザの場合

コロナウイルスとは、一般的な「風邪」病原ウイルスの一種である。またインフルエンザも、ウイルスによって発症し、毎年のように流行を繰り返す類似の感染症だ。以前から、インフルエンザが大流行しそうなとき、国立感染症研究所が「流行注意報」や「流行警報」を出している。

注意報は、1病院当たりの新規患者数が10人を超えたときに、警報は、1病院当たり新規患者が30人以上となった場合に発せられる。

国立感染症研究所は「1週間で5万人患者が増えたとき」に、初めて流行注意報を出すのである。

新型コロナは、少なくとも日本国内では、そこまで流行はしていなかった。

直近のピークである4月11日で、新規感染者は743人（当日1日で）。その前後の1週間（水曜～火曜）でも「3843人」だった。

しかも、これは「患者（発症者）」ではなく「感染者数」なのだ。

「イメージ操作」がある…と勘の良い読者は気が付いたはずである。

新型コロナ情報とインフルエンザ情報

――通常の季節性インフルエンザでは、感染者数と死亡者数はどのくらいですか。

厚生労働省のホームページ、「新型インフルエンザに関するQ&A」の質問の1つだ。今後、ネットから削除されるかもしれない回答だが、その前半を見てみよう。

「例年のインフルエンザの**感染者数**は、国内で推定約**1000万人**いると言われています。……中略……死因別死亡者数では、年間でインフルエンザによる死亡数は214（2001年）～1818（2005年）人です」（↓ゴシック表記は著者による）

国内で毎年インフルエンザウイルスに感染する人数は、1000万人と推計されている。

回答の後半でこう言っている。

「直接的及び間接的にインフルエンザの流行によって生じた**死亡を推計**する**超過死亡概念**というものがあり、この**推計**によりインフルエンザによる年間死亡者数は、**世界で約25～50万人、日本で約1万人**と推計されています」

新型コロナウイルスによる**死亡者の数え方**、報道のされ方は**「超過死亡概念」**と考えられる。

5月初頭の時点で、この新たな感染症により死亡した人の数は**世界で約25万人**だった。報告数が最も多い米国で7万人弱、欧州の死亡者数が多い国々（イタリア、英国、スペイン、フランスなどで2～3万人である。

米国では、約1万2000人が、毎年インフルエンザで亡くなっている。

2017～2018年は、45万人がインフルエンザに罹患し、6万1000人が死亡したと報道されている。

なぜ、インフルエンザのときは「外出の自粛」が求められなかったのだろう？

日本政府が「非常事態宣言」の延長を決めた5月初め、全世界の新型コロナウイルス感染者数は、約３５０万人だった。

最多の米国で約１１５万人、欧州で多い国々で20万人前後、我が国は1万６０００人。

だが、なぜか「発症者数」は、メディアから大きく報道されなかった……。

在ドイツ日本大使館員

この「新型コロナウイルス禍」が、まだ欧米に飛び火していなかった2月、外交官としてドイツに赴任している宗像圭祐《むなかたけいすけ》が、ベルリンの自宅でひと時を寛いでいた。

コーヒーを淹れてくれた身重の妻・洋子《ようこ》が、テーブルをはさんで向かいに座り、その日のニュースの話題を持ち出す。

2月3日、下船した乗客のコロナ感染が判明したクルーズ船が、日本の横浜に寄港し、検疫体制に入っていた。検査でコロナ陽性の反応が出た乗客を病院に収容する一方、他の乗客・乗員は「隔離措置」を受け、船内での待機を続けていた。

基本的に国際航路を運航する船の上は、寄港国の「国内」とは見なされない。感染対策の責任も寄港国の政府にない（厳密なルールそのものが未だない）。

そのため、クルーズ船の船籍国である英国や、多くの自国民が乗船していた米国からは、後に日本側の防疫措置や乗客・乗員へのケアに対し謝意が表されている。

だが、2月の時点での各国の報道を並べて見ると、「日本が対応を誤り、感染者を増やしている」との非難の色が濃くなっていた。

だが、洋子が憤慨しているポイントはそこではない。

「それでね、日本のニュースもチェックしたの。そうしたら、その非難のトーンがむしろこちら（欧州）よりひどい感じなのよ。自分の国のメディアだと思うから、余計に腹が立つのかしら」

「まあ、いつでも好き勝手な報道をしているからな」

圭祐は、妻の言葉にいつものように静かに耳を傾けていた。

「あなたはいつも冷静ね」

「まあね。報道はあくまで報道だから」

外務省はしっかり仕事をしているのか？……などと言い募る報道に触れると、洋子はついカチンと来てしまうのだが、圭祐はいつも平然と笑い流していた。

「物事がどちらか一色なんてことはないんだよ、今回もね」

「例えば？」

「そうだな……。僕は最近、各国の関係者から、日本の防疫システムについて真剣に聞かれることも多いよ。感染者の隔離みたいなことを行うとしたら、どんなスキルや体制が必要なのか知りたいみたいだね」

インテリジェンス・エージェント

洋子は、夫がまた何か知っているのでは（?）と思い、水を向けてみた。

「それにしても、このコロナって何かおかしくない?」

「というと、どこが?」

「コロナって、たしか風邪のウイルスじゃない?　こんなに騒ぐ必要がホントにあるのかしら?」

妻として圭祐の立場をよくわきまえている洋子は、社会の動きの背景についても逆に遠慮なく尋ねる。夫は話せることは話すだろうし、話せないことは知らないと言う。それだけのことだ。

「SARSの例もあるからね」

そう答えた夫は、正式に在独日本大使館員の身分だが、最も大事な任務はインテリジェンス・アセスメント、即ち諜報活動にある。

わかりやすく言えば、スパイ活動だ。

スパイと聞くと多くの人は、身分を隠してこっそり尾行や盗聴をしたりする「隠密」のような存在をイメージするかもしれない。

だが、インテリジェンス・エージェントというものは、案外「外交」の舞台で堂々と活動しているものである。今でこそ「諜報に弱い」とか「外国にとってスパイ天国」と言われる日本にも、かつては有能な諜報員が大勢いた。

例えば、明治期に陸軍武官として欧州各地の在外公使館に詰めていた、明石元二郎《あかしもとじろう》大将が有名だ。彼の工作活動がなかったら、日本は日露戦争に勝てなかっただろう、とも評されている（ちなみに、当時の明石の身分は陸軍大佐であった）。

歴史上の名スパイを挙げれば枚挙にいとまがないが、外交官と称する者のうち、少なくとも一部にはそういう役回りもあるのだ。

圭祐は、先ほどの妻の質問に直接的には答えなかった。だが、表情を変えずに、

「そのうち、こっち（欧州）も他人事ではなくなると思うよ」

そう言った。

武漢病毒研究所

新型コロナウイルスの「発生源」となった武漢には、中共が重点実験室としている武漢ウイルス研究所がある。

この研究所には、やはり中共支配域内で２００２年に発生し、海外へと拡散したＳＡＲＳウイルスも研究されていた。ウイルス兵器の研究開発が行われていることは半ば公然の秘密であり、そのサンプルが誤って外部に漏れ出たことが、新型コロナウイルス禍の発端だという情報が自由主義側では流布されていた。

武漢市には、実は2カ所の「中国科学院武漢病毒研究所（ウイルス研究所）」があった。

1つは、武漢市武昌《ぶしょう》区にある研究所。中国当局が当初「新型コロナウイルスの発生源」としていた海鮮卸売市場（＝すでに解体）から、長江を隔てて約12キロ離れたところに存在する。

もう1つが、米国大使館員の指摘した「新しいラボ」である。

そのラボがあるのは、武漢市江夏《こうか》区中国科学院武漢病毒研究所鄭店園区《ていてんえんく》（チェンディエン・サイエンスパーク）。海鮮卸売市場から南へ、直線距離で30キロ以上も離れている。

数年前まで、中国メディアはこの施設を「武漢国家生物安全実験室（国立バイオセーフティー研究所）」と記していた。

だが近年では、こちらも「中国科学院武漢病毒研究所」と称し、研究所の本部も武昌区から江夏区に移っていたという。

不可解なのは、今年1月の時点ではグーグル検索で存在を確認できた「新しいラボ」が、いつのまにか地図上から消えていることだ。

この不可解な消失の背後に、中国マネーを求めるＥＵ某国の思惑がちらついていた。

仕掛けたのは誰か？

他方で、さらにキナ臭い憶測も飛び交っていた。

事件の本質は事故ではなく、中共が米国に仕掛けた「生物戦」だという噂である。

折しも中共指導部は、米国政府との間で苛烈な通商戦争を続けていた。米トランプ政権に圧迫され、対外的に面目を失いしつつあったことから、中共が何らかの工作を仕掛ける「動機」は十分だとも思われた。

――武漢肺炎の流行に気づいた中共指導部は、その甚大なダメージを自分たちだけで引き受けるのではなく、あえて世界に（ひいては米国にも）拡散することで「一方的な敗戦」を回避しようとした。

――いや、それどころではなく、前年の暮れから、感染者を「歩く生物兵器」として大量に米国に送り込んでいた可能性も否めない。米国に感染者が多いのはそのためだ。

さまざまな噂が飛び交った。

一方で中共は、武漢に新型コロナウイルスを持ち込んだのは米国だと暗に主張していた。その主張にも、突飛なようでいて、また否定しきれない説得力があった。

長江と漢江が合流する巨大産業都市・武漢は、中共域内におけるＩＴ産業の一大拠点でもある。米国は、次世代通信規格5Gを巡る技術の実用化で大きく後れを取っており、それが中共に通商戦争を仕掛けた大きな動機でもある。

中共経済にさらなる打撃を加え、彼らの半官IT企業群にとどめを刺すため、エージェントに新型コロナウイルスを持ち込ませる「動機」は米国側にもあったのだ。

いずれにせよ、事の真偽はいまだに定かではない。

SARSと武漢コロナウイルス

ちなみに、「コロナウイルス」あるいは「新型コロナウイルス」という呼び方は、まったく固有名詞にはなっていない。

SARSウイルスも、今回の武漢コロナウイルスも、同じ「コロナウイルス科ヒトコロナウイルス」に属する一本鎖RNAウイルスである。

一般に、コロナウイルスは軽症の風邪（または風邪っぽい症状）の原因となる。より厳密に言えば、風邪症候群の原因の3割ほどがコロナウイルスで、同程度に多いのがライノウイルス、次いでRSウイルスやアデノウイルスなどが続く。

コロナウイルスによる風邪は通常、重症化することはほとんどないのだが、その例外がＳＡＲＳウイルスだった。

ＳＡＲＳの流行は、２００２年11月に、やはりこの大陸南部の広東省の症例から始まったとされる。翌２００３年３月に香港やベトナムのハノイで旅行者を介した院内感染が起こるなど、アジアとカナダを中心に32の国や地域へ広まった。

２００３年７月にＷＨＯが終息宣言を出すまでに、ＳＡＲＳは８０００件以上の症例が報告され、８００人弱の命を奪った。致死率10％弱であり、おそらく今回のコロナよりも危険なウイルスであったと考えられる。


もちろん、流行終息後の修正はあり得るが、ＷＨＯは今回の武漢コロナウイルスの致死率を２％程度と見積もっている。

一方、学術誌の論文などに発表される数字では、今回のコロナの致死率を０・６％前後と推計しているケースが多い。ちなみに、インフルエンザの致死率はおおむね１％未満とされている（我が国では０・１％程度）。

生物兵器？

宗像圭祐の「予言」どおり、新型コロナの感染報告は欧米でも爆発的に増え始めた。夫婦が住んでいるドイツでは、日本の非常事態宣言より2週間余り早く、3月22日に「接触制限措置」、いわゆるロックダウンが発令された。

洋子は、「第2次大戦以来の挑戦」と国民に訴えるメルケル首相の演説を聴き、「大変なことになったわね」と夫に言った。

そのとき、「出産が済んでいたからよかったよ」と言われ、あらためて慄然《りつぜん》とした。

少し前に娘が生まれていた。

熱心なキリスト教徒である二人は、娘が天の声と共にあるよう願い、「アマネ（天音）」と名付けていた。

出産早々の生活制限である。必要な物の買い出しや散歩などを除いて、原則として外出禁止。家族以外で外出を共にできる人数は1人に制限され、公の場では他人との距離（ソーシャルディスタンス）を取ることが求められた。

飲食店やサービス業は、テイクアウトを除くサービスを停止していた。

外交官や家族には外交特権があり、圭祐も相変わらず大使館に出勤している。だが、日中に在宅する時間も増え、買い物はもっぱら彼が買って出ていた。実のところ、生まれたばかりの娘の顔を見たり、あやしたりする時間が増え、彼は存外機嫌がよかった。


ベルリン市民に合わせて自粛生活を送っている洋子は、ある日、夫にコーヒーを淹れた後で聞いてみた。

「最近よく言われている生物兵器説って、あり得るのかしら?」

「ん?……君はどう思ってるの?」

洋子は、少し考えを整理してから言った。

「ウイルス兵器のつもりならもっと致死率を高めそうなものだし、逆に、このグローバル化した世界で自分の国だけ無事なんて考えにくいし……。どっちにしても違うかなって思ってる」

「なるほど、致死率ね……。僕はね、断言はしないけど、故意にウイルスが撒かれた可能性もあるとは思う」

洋子が意外な顔をしたためか、夫は言葉を補った。

「ただその場合、目的は人を殺すことじゃない。経済活動を側面から停めることだろう」

「何のために？」

「敢えて言うなら、世の中を、自分たちに都合よく変えるためさ」

「えっ？」

夫は普段より能弁だ。そう洋子は感じた。何か大事なことを伝えようとしているのかしら。だが、そのあと圭祐が妻に語った話は、彼女をますます混乱させるものだった。

新型コロナ防疫の「予行演習」

あくまでも憶測ではあったが、新型コロナ生物兵器説が勢いを増した1つのきっかけは、中共のある高官が3月に、「米軍がウイルスを武漢に持ち込んだ可能性がある」とツイートしたことだった。

——えっ、自然発生じゃなかったの？

——あ〜あ！　ウイルス兵器だって自白しちゃったよ。

中共側の発言は、ネット上で広範に揶揄《やゆ》され、くすぶっていた生物兵器疑惑をいっそう濃厚なものにした。

また、それ以前から新型コロナ禍発生と奇妙に符合する動きがあったと、ネットで情報が拡散され、話題になっていた。

その1つの動きは、武漢閉鎖の4カ月前に遡《さかのぼ》る。

1995年から4年ごとに開催されているミリタリー・ワールドゲームズというスポーツ大会がある。「世界軍人オリンピック」とも呼ばれ、各国の国防関係者がスポーツを競うこの大会が、2019年には武漢で開催されていた。

日本の自衛隊は参加しなかったが、米軍は代表団を派遣しており、その中に、武漢へ密かにコロナウイルスを持ち込んだものがいるというのが中共側の言い分だった。

だが、10月18日から開催された軍人五輪のちょうど1カ月前に、同じ武漢で「新型コロナ肺炎」を想定した防疫の予行演習が行われていた。

武漢の天河国際空港でコロナ感染者が発見されたとの想定で、検疫から感染者の搬送、接触者の隔離と経過観察、現場の消毒まで、一連の行動のシミュレーションが展開されていたのだ。

「では、チャイナ当局は、新型コロナウイルスの発生、あるいは侵入を予測していたのだろうか？」

夫に問われ、「う〜ん、わからないなぁ……」と答えながら、結婚前からこういう会話をたくさんしてきた、と洋子は思った。

圭祐は、得意そうにニンマリと笑うと、さらに続けた。

「一方で、ユナイテッドステーツのほうにも、なかなかあやしい動きがあったのさ」

新型コロナ禍の「予言」

武漢市で軍人オリンピックが開幕したのと同じ10月18日、ニューヨークで「イベント201」という大きな会合が開かれていた。

主宰したのはジョンズ・ホプキンス健康安全保障センター。今回のパンデミック騒動の中、積極的に全世界のコロナウイルス感染者数を集計し発信している、あのジョンズ・ホプキンス大学の機関である。

そして共催者には、ビル&メリンダ・ゲイツ財団、そして世界経済フォーラムが名を連ねていた。言うまでもなく。世界経済フォーラムとは一般に「ダボス会議」として世に知られている集まりである。

ただし、このイベント201は秘密会合でも何でもない。一般の人々も参加することができたし、現在もネットでその内容が公開されている。

その場でジョンズ・ホプキンスの科学者が訴えていたのは、感染症の脅威である。

近年、世界で年間約200件の感染症が発生し、人類に負担を強いている。特に世界的なパンデミックは人類の健康、経済、社会に破壊的な影響を与える。調査によれば、広域感染症は、年平均で世界のGDPの0・7%に相当する5700億ドルの経済損失をもたらしている可能性がある。

そう指摘したうえで、イベント201は、「次に感染症のパンデミックが起こるとしたら、それはコロナウイルスによるものだ」という想定のもと、官民が連携して新型コロナ禍に対応する行動のシミュレーションを公開していたのだ。

イベント201は、コウモリ由来のブタコロナウイルスが、人に感染する新たなコロナウイルスに変異し、さらに人から人へと感染するようになって深刻なパンデミックを招くというストーリーを描いていた。

シナリオでは、まずブラジルの養豚場で静かにコロナ感染症が始まり、徐々に広まった後、医療現場で感染の速度を増す。そして、南米の大都市で爆発的流行を起こしたウイルスが、エアラインでポルトガル、米国、中国に持ち込まれ、最終的に全世界に広がっていく。

パンデミックの最初の数カ月、罹患者は指数関数的に増加し、毎週倍増する。罹患者と死亡者数が増えるにつれて、社会的・経済的影響はどんどん深刻になっていく。

このシナリオは、主にSARSをモデルとしており、18カ月に及ぶパンデミックによる死亡者数を6500万人と見積もっている。

イベントを共催した財団の主であるビル・ゲイツ自身も、「1年足らずで3000万人の犠牲者を出すパンデミックが、今後10年から15年の間に世界を襲うと裏付ける試算がある」と警告を発していた。

見えない戦争

最近、宗像圭祐は、ドイツ政府と欧州委員会（EU政府）の動向をフォローしていた。新型コロナ禍が起こる以前に、米中の対立構図は明らかになっていた。同時に、独仏をはじめとする欧州首脳と米政権の間にも亀裂が入っていた。その背景には、単にトランプ大統領とメルケル首相ら欧州首脳との相性や、グローバリズムを巡る政策路線の違いでは片づけられない事情があった。

欧州政財界への中共の浸透である。

米国がW社製のIT機器の排除を強化する一方で、欧州諸国ではメイド・イン・チャイナの先端機器の導入がむしろ加速していた。

宗像の上司である有能な参事官は、近い将来にNATOの瓦解、即ちEU諸国の米国への離反という形で「新・冷戦構造」の終焉がありうると予見していた。そこで、自ら現地の外交官や企業幹部らと接触を繰り返しながら、宗像を米国のエージェントと連携させて情報を探らせていたのだ。

国同士の戦争は、笑顔で握手しながら常にテーブルの下で続いている。戦争とは砲火を交えることではなく、少しでも自国に優位な状況を作り出そうと争う凌ぎ合いなのである。日本国内での外務省の評判と言えば、「害務省」と揶揄されるぐらいで、はなはだ芳しくない。だが本来、彼らは物言わぬエージェントである。

無能な役人もやはりいないわけではないが、省庁がまともな仕事をできていないとしたら、それは国政を預かる者たちの姿勢にもよるのだ。

それはともかく、宗像らはパンデミック戒厳下のドイツでも、多くの無視できない情報に接していた。

その1つは、パンデミック後の疲弊しきった経済を立て直すために、EU域内で多くの企業が、中共からの大規模出資を受け入れつつあるという情報である。その中には、欧州有数の規模を誇る多国籍軍需産業までもが含まれていた。

元より宗像らエージェントを釣るガセネタかもしれなかった。

だが、折しも英国がTPPへの加入を積極的に模索しており、それと対をなすかのように「中共がEUに加担して起死回生を図る」といった可能性も否定はできなかった。

「四半世紀ぶりに、世界地図が引っくり返るかもしれないな」

モニター越しに米国エージェントと情報を交換し終えて、宗像はつぶやいた。

パンデミックの影響で、最近はビデオ通話でのミーティングが多くなっていた。当然、彼らの使うアプリケーションのセキュリティは、レベル４＋（レベル４以上）。暗号コード「レベル４＋」。最高レベル…のはずだった……。

眠りに落ちた経済の陰で

１カ月後の日本、新型コロナ禍で経済活動の「自粛モード」が続く中、大手企業に対するサイバー攻撃が目立って頻発するようになっていた。

33歳のエンジニア大和《やまと》光二《こうじ》は、頻発するクラッキングからクライアントのデータを守る責務を帯びた情報管理部門の主任エンジニアである。

非常事態宣言下で多くの国民が家にこもる中、多忙な日々が続いている彼は、徐々に巧妙化し、ますます多発するサイバー攻撃から、いかに企業の機密情報を守るかに腐心していた。しかも、常に全力で当たっているのに、この新型コロナ禍不況の下、たんまり内部留保を持つ企業から「価格交渉」で買い叩かれることも多く、頭が痛かった。

一方、私生活では嬉しいことがあった。次男の那由多《なゆた》が、2月に生まれたばかりなのだ。3歳になった長男の航《こう》を保育園へ迎えに行き、その脚で病院の妻を見舞う。新生児室の我が子に、彼の兄とともに対面する…そんな日が続いていた。

その日も光二は、幼い長男と一緒に念入りに消毒させられたうえで、妻の病室を見舞った。そっとのぞいた病室のベッドで、妻の陽子《ようこ》（30歳）は眠っていた。

命に別状はないものの、心臓に負担がかかっているそうで、産後は意識がもうろうとしている時間が長かった。普段から貧血気味の上に、出産直前までつわりが続き、十分な栄養が摂れなかったのは、新型コロナウイルス騒ぎがストレスになったせいでもあるのだろう。

「ママは寝ているから、今日はそっとしておこうな」

看護師たちがテキパキと動いているナースステーションの前を、少し寂しさを感じながら光二は横切った。

ガラス越しに新生児室をのぞき込み、自分の足にすり寄ってくる長男に言う。

「航、見えるか？　右から2番目。二人目がお前の弟だ」

まだ背丈が1mに満たない皝は、思い切り背伸びするだけして弟の姿を求めている。いつものように光二が抱き上げると、少し嬉しそうな口元をして、上から弟のいる方向にまなざしを向けていた。

「あっ！」

「どうした皝？」

「笑ったよ…今」

「そうか…、ハハハ、そうか」

国家のアキレス腱

大和光二が長男とともに病院から帰宅する頃、ある集団がサイバー空間から、大規模な攻撃を各国の政府機関に対して仕掛けようとしていた。

翌朝……。

光二が出勤したばかりの職場に、本社から緊急招集がかかり、「情報管理者」である彼も役員に同行してトラブルの現場へと向かった。

黒塗りの社用車の中で、光二は隣席の上司に小声で話しかけた。

「部長、どこのサーバーがトラブッたんですか?」

「わからない。まだ重要なクライアントにたちの悪いマルウェアが仕掛けられた…としか、私も聞いていていない」

高速道路から降りた車が官庁街へと向かい始めたことで、光二も背筋がヒヤッとするような緊張を感じ始めていた。

到着後、機密情報を漏らさない旨の誓書を形式的に取られ、データの復旧とセキュリティの再構築に臨む。

そこで知ることとなった事態は、外務省のサーバーがハッキングされ、外交関係の機密文書が大量に外部に漏れたという大不祥事だった。

このサイバー攻撃は、日本国内の複数の官公庁だけでなく、某国と潜在的敵対関係にある主要国のサーバーに、一斉に仕掛けられていた。

そして日本など、カウンターインテリジェンス（防諜）が脆弱な国の機密情報が大量に「敵」に渡った可能性が高かった。

同程度の大きなトラブル収拾に、光二は何度か携わったことがある。だが今回ばかりは、今までの事件とは圧倒的に違う何か大きな力の介入を感じていた。

クラッキングされたデータの偏りから、東アジアの「大国」と欧州の大陸諸国家の間で、何かが進行しているのだと察せられた。また、外務省の若手官僚の一部が、新興の「サイバー国家」なる組織とさかんに交渉をしていた形跡にも気づいた。

接した情報を記憶していてはならない立場だが、その印象は、光二の心の底に終生影を落とすことになる。

隔離措置を利用したトラップ？

霞が関が攻撃を受ける前に、欧州の中心地ベルリンでも異変が起こっていた。

ある晩、情報源にしているドイツ人らとのテレビ会議から退出した宗像は、ふと胸騒ぎを覚えてPC内のデータをチェックした。

最近作成した機密報告書の内容が、軒並み書き換えられていた。

「俺のレポートが、ニセ情報に入れ替わっている⁈」

クラッキングに気づいた宗像は、娘と妻の寝顔に向かって、起こさないように「少し出かけてくるよ」とささやき、職場へと急いだ。

外部から参事官に連絡を取ると盗聴をされる可能性も考えてのことだ。

だが、大使館の門前に着き、IDカードを示した彼は、ドイツ人ガードマンに検温を促された。そこで「発熱」を指摘された宗像は、館内に詰めている参事官への連絡は許されたものの、そのまま医療施設に隔離されることになった。

宗像が「隔離」のために収容された施設には、通信手段がなかった。

「やられたか！」

思えばあのガードマンは、初めて見る顔だった。

彼は最悪の場合を覚悟した。妻と娘に会いたいが、もはや空しい願いかもしれない。

――私のレポートは書き換えられています。

参事官にそう伝えられたことがわずかな救いだった。

妻は、毎日来てくれた。

だが「隔離施設」であるため、娘を抱いて見舞いに来た妻も中には入れず、初めは通りに面した柵と窓越しに手を振り合うしかできなかった。

翌日、電話が与えられた。大使館が圧力をかけてくれたのだ。

ほっとした宗像は、電話で妻と娘の声を聴き、無事を伝え合った。

参事官にもサポートの礼を述べ、「まだ発症はしていない」旨を報告した。なんらかの妨害に違いないが、隔離期間が過ぎたら絶対に復職する！

外交官の死、そしてセキュリティの専門家

だが数日後、洋子が電話をかけても、夫は電話に出なくなった。

大使館から問い合わせてもらうと、宗像が肺炎を発症し、治療室に入ったと伝えられた。

「あの…電話でも話せないのですか?」

隔離施設内の宗像圭祐と、一切の連絡が途絶えたのだ。

1週間後、日本のメディアに速報が流れた。

「在ドイツ外交官、コロナ感染死！」

ニュースに接した大和光二は、無性に気分が悪かった。

光二は本来、世の中のことを複雑に考える性質ではない。もっと若い頃なら、見知らぬ犠牲者を哀れに感じる程度だっただろう。

だが、今の頭の中では、先日の外務省へのサイバー攻撃と、この同世代の外交官の死とがオーバーラップして思える。そして、「人類一丸となってコロナと戦おう」とか「一人ひとりの命を守る戦い」といった掛け声が空しく聞こえるのだ。


中央官庁へのクラッキングと、一人の外交官の死。この間に何かつながりがあるのかないのか、あるとしたらどんな関係なのか、彼には皆目わからない。

わかるのは、この世の中は単純な善意だけでは動いていないということだ。

海外では、ロックダウンの解除を求めて暴動が起こり始めていた。俺たち日本人は、規律正しいと思う。だが、素直過ぎて甘いのではないか。そんな思いもよぎっていた。

同じ日、空席が続いている駐日米国大使に、ケネス・ワインスタインが内定したと報じられた。

ワシントンのハドソン研究所で所長を務めている次期大使は、認知戦争の専門家、更にカウンターインテリジェンスの専門家だとも聞いた。

――日本のセキュリティは甘い！　テコ入れが必要だ！

そう同盟国から見られたように感じ、いっそう気分がむしゃくしゃした。

第1章

復活／2025年——ポストコロナの世界

帰郷

「新型コロナ騒動」から5年が経った2025年。

宗像洋子《むなかたようこ》は、生まれ故郷の地方都市で、「オンライン英会話」教諭の職に就いていた。

彼女は帰国後、中学校に復職した。

結婚前に彼女が英語教師をしていたミッション系の女子校への復職だった。彼女の母校で、現教頭になっていた当時のクラス担任が、彼女を呼び戻してくれたのだ。

学校の隣の教会が、仕事時間中、娘を預かってくれた。

夫の圭祐《けいすけ》がドイツで客死した後、1年近くベルリンに住んでいた。

当時、隔離された後も数日は、電話で普通に話をした夫が、突然帰らぬ人になった……。

言葉にならぬ想いが胸に溢れ、何日もまともに息ができなかった。

落胆する洋子を、参事官ら、日本大使館員が悼み、面倒を見てくれた。

――あの時の支えがなかったら、本当にどうなっていたか……。

彼女の傷は、今も癒えてはいなかった。

圭祐が亡くなった日、連絡を受けた参事官が駆けつけて彼女と娘を助けてくれた。さらに、「火葬して骨を返す」と告げたドイツ官吏に、「新型コロナウイルスは、一類の感染症（24時間以内の火葬義務がある）ではない、貴国で遺族の合意なく火葬にできる権限はないはずだ！」と猛抗議をしてくれたのも同氏だった。

洋子は、そのときは何も考えられなかったが、おかげで夫の顔を、見ることができたのだ。

それからは、生まれたばかりの愛娘を、洋子は必死に育て始めた。

「この子を守らねば」という思いが彼女の心の拠り所だった。

娘と二人で過ごしたことと、よく教会に通った記憶以外、帰国まで自分が何をしていたのか、よく覚えていなかった。

荼毘に付した遺骨を「日本に…」と、思えるようになったのは、年が明けてのことだった。

シスター

日本の母校で教鞭を執るようになって、3年が過ぎた…ころ。

学園は彼女の意を汲み、ようやく二度目の退職届を受理してくれた。

洋子は、教頭と同僚の教諭たちに挨拶を済ませると、教会に娘を迎えに行った。

雨が降っている日だった。

洋子の姿を見つけると、アマネは元気よく雨の中を走り出した。

「アマネ、遅くなってごめんね。大人しくしてた？」

「うん！」

――私にご本を読んでくれたのよね？

「うん！」

アマネは、シスターに、満面の笑顔で頷いて見せた。

一人で過ごす時間が長いためか、アマネは字を覚えるのが早く、本がとても好きだった。

そして大人相手に、自分から物語を読み聞かせるのが好きだった。

「何をシスターに読んであげたの？」

「イエスさまの本！」

「本当？　いい子ね」

娘をぎゅっと抱きしめてから、洋子はシスターに礼を言った。

「大下姉妹、今日まで色々とありがとうございました。本当にお世話になりました。なんとお礼を言ったらいいか……」

洋子は丁寧に頭を下げた。シスターは、洋子の肩に手を添えて。

「いいのよ。私もアマネちゃんと遊べて、とても楽しかったわ…」

「また、必ず顔をお見せしに参ります」

二人は、目に涙をためていた。

「…しっかりね…」と洋子に告げたシスターは、「アマネちゃん、またね」とアマネに顔を近づけた。

「オーシタせんせい、さよーならー！」

アマネは、傘の柄を左手で握って、右手を何度も振ってみせていた。

この後、シスターがアマネに逢うことはなかった。

うかがう人影

宗像洋子は、歩きながらときどき周囲をうかがい見る癖があった。

日本に帰り学園に復職して間もなく、自分を見ている「人影」に気づいたからだ。監視されていると悟った。

夫の仕事と何か関係があるのだろうか。ドイツで世話になった元上司の参事官に、個人的に連絡をした。面談した氏はこう言った。

——宗像君の最後の状況は私たちも釈然としない点が多いのです。何かの理由で連中(ドイツの連邦情報局)が関係者、特にご家族を一定期間観察することはありえるでしょう。

とのことだった。

「警察には、届けなくてもよいでしょうか?」

——私から先方に確認を入れてみましょう。その後、もし不審な行動があれば県警へ通報してください。外交官は国外では、常にマークされます。宗像君も、また私も同様です。

「はい。理解しております」

参事官はさらに、その後の対処について簡単な助言を洋子に与えた。

洋子は安心し、人影に気づいてもあまり気にしなくなった。だが、やはり周囲に目を配ってしまうことが、いつしか癖になっていた。

家路

「ママ、さっきはどうして泣いていたの？」

「えっ？」

「だってママは、寂しいから泣くんでしょ。寂しい？」

「それはねぇ、うれしいからなの！」

「？？？」

「ママね。明日から、おうちでお仕事するの！」

「？？？」

「ずっとアマネと一緒にいられるの！」

「ホントー⁈」

傘をさしたアマネがスキップをし始めた。

「でも、ママ、うちで…ママのおしごと…できる？」

「アマネ～頭いいねー。そう、授業《おしごと》。えへへ、実はできるんだな、それが！」

テレスタディー

5年前のコロナウイルス禍で、世界中の人々が外出禁止や自粛を強いられた。

その間、休校措置が続いた教育現場では、インターネットを活用した遠隔授業、いわゆる「テレスタディー」が活用された。

コロナ禍が収束し、生活は元に戻ったかに見えた。

だが、「ポストコロナの世界」は、人々の生活を大きく変貌させていた。学校教育に、その後もテレスタディーが導入され始め、教育課程にも影響を与えるようになっていった。

洋子は、母校の生徒のオンライン授業を担当する条件で、独立を認められたのだった。

だが、今、彼女が英会話をレッスンしている相手は学園の女子生徒ではなかった。モニターの中で英語をリピートしているのは、同じ市街の小学校の男子だった。

最近の日本では、一部だが進度の速い子には、科目ごとの飛び級も行われ始めていた。

それはかつての進学教育とは異なり小学生から「高等学科」を学ぶ子も珍しくなかった。


洋子の授業の終わり頃、モニター内の生徒の声に交じって別の男児の声が混じり始めた。

――早く行こうよ、早く行こうよ～！

生徒の小学生の顔が画面から一瞬消えた。

「うるさいぞ、ナユタ。少し待ってろよ！」弟を叱りつける兄の声だった。

洋子は、思わずクスリとした。

授業を終え、洋子が、

「では、今日はここまでです。先生からお母さんにお話があるので、呼んでください」

そう言っている間も、

――早く行こうよ！　という声が、聞こえていた。

少年は、礼儀正しく、
「ありがとうございました」と頭を下げた直後……、
画面に映らない所で、弟の頭にガツンと一発入れたようだった。
画面の生徒とその弟。大和《やまと》家の幼い息子たち、それが毓《こう》と那由多《なゆた》だった。
兄の毓は8歳。コロナ騒動の年に生まれた弟の那由多は当年5歳になっていた。

創造主

毓が弟と共にモニターから離れた後、兄弟の母親の大和陽子《やまとようこ》が、宗像洋子の前に姿を見せた。

——ごめんなさいね、那由多がいつもうるさくて。

「子供は活発な方がいいじゃない？……」

保護者と教師にしては、砕けた会話だった。実は二人は、オンライン翻訳をする「仕事仲間」なのだ。

在宅で洋書の翻訳をしていた大和陽子が、仕事の一部を、ワークシェアアプリで探し当てた宗像洋子に手伝ってもらったのがきっかけだった。

宗像洋子の堅実な仕事ぶりに好感をもった大和陽子が、「またお話ししましょう」と言い出したのだった。

そして、「もしかして本業は英語の先生なの？」と知ったことで、長男の「英語教師」を探していた時期と重なり、洋子に毓のオンライン教師を依頼したのだ。

「毓君は、那由多君と出かけたみたいだけど、この後、授業はないの？」

――授業よ。体育で学校に行くから、那由多が付いて行きたがるの。

「まあ、それはいいことね」

――どうして？

「年上の子たちに揉まれたほうが、逞しく育つわ」

そう言いながら洋子は、亡き圭祐の顔を思い出していた。

――アマネちゃんは、お元気？

「ええ。今、私の後ろで本を読んでるの」

会話の後、モニターを切ると、洋子はお昼の準備を始めた。

娘は動物図鑑を眺めていた。

「おもしろい?」と訊《き》くと、

「うん」と頷き、娘は母親に聞き返した。

「ママ、この子たちって神様が創ったの?」

「そうよ、世界は、みんな神様がお創りになったのよ」

その時、洋子の胸に、なぜか暗い言葉が浮かんでいた。

――あのウイルス…も…、神様が、お創りになった?……。

それをアマネには言うまい。天井を見上げて洋子は台所に向かっていた。

変わる教育

宗像洋子が学園を辞め、自宅でオンライン英会話教師を始めた理由は、多感な時期の娘への影響を考えたからだ。だが、彼女の転職は時代に後押しされている面があった。

この時代、子供の学び方だけでなく、大人の働き方も大きく変わり始めていた。

多くの企業とビジネスパーソンが、在宅就業やオンライン会議の利便性に気づき、テレワークの活用がどんどん広がっていた。大都市近郊に高い家賃の事務所を構えたり、狭い借家に住む意味が薄れ、地価の安い郊外に移ったり、故郷などに仕事の拠点を移す人々も少なくなかった。

洋子も大和陽子も、そうした時代の流れに乗っていた。

大和一家も、息子たちがのびのび育てそうな環境を求めて、地方都市に転居していた。

息子たちを学校に送り出した大和陽子は、明るい窓際のソファーに座り、大きな瞳をクリクリと動かしながら、携帯端末のモニターを目で追っていた。

ニュースに目を通しておくと翻訳の仕事に役立つことも多く、最新のニュースをお昼に拾い読みするのが彼女の日課となっていた。以前なら、キッチンテーブルに紙の朝刊を広げて眺めていただろう。

今ふと目をとめたのは《学校でのイジメ激減》と見出しの付いたニュースだった。

「それはそうでしょうよ。学校自体が変わったんだもの」と、陽子は、記事に一人ツッコミを入れて微笑んだ。

窓外から、近所の小学生たちの声が聞こえてくる。

昼休みの遊びに興じているのだろう。この頃の小・中学生は、平日でも自宅の界隈で過ごしている子供が多かった。

テレスタディーの導入が拡大する学校では、教育課程も柔軟に変化し始めていた。

年齢による学年分けはあっても、毎日顔を揃える「学級」という単位はない。さらに、各児童・生徒が学年とは関係なく、達成度や能力によって、教科ごとに先のレベルに「進級」できる仕組みが一部の都市では試験的に採用されていた。

同じ学年の中に、毦のような「飛び級」を重ねる子もあれば、在籍学年より前の段階の授業をじっくりと履修し直す子もいるのが当たり前になっていた。

学校という「場」も意味を変え、学年単位、または全校での行事を除けば、普段は実習・実演を伴う授業や課外活動のための場になっている。

小学3年生の毦は、中学レベルの理系科目と英語、その他の6年生レベルの文系科目を学習していた。

彼はスポーツが得意で、日頃から課外で年上の学友たちとサッカーやバスケをしていた。５歳の那由多は、その兄によくついて歩き、スポーツの真似や体育の授業の見学をしながら、来年には、学校に入学する日を楽しみにしていた。

地下ビル農場の建設ラッシュ

陽子の夫・大和光二《やまとこうじ》は、バーチカル地下農場を建設する現場に滞在していた。

彼の専門は、先述したようにコンピュータシステムのセキュリティエンジニアだった。大自然の中で営まれる農業との関わりは薄いのでは、と思われたかもしれない。だが、最近のハイテク農業には、人工衛星から制御される農耕機械なども使われていた。農業分野でもＩｏＴ化の進展は著しく、システム保守の重要性は年々増加していた。

彼が今携わっているのは、巨大な縦坑《たてこう》地下ビル農場を統御するシステムの構築だった。

地下ビル農場は、コロナ騒動によって大不況に陥った数年前の経済にテコ入れするために、財務省が部分的に許可した「国策」として公的資金を投入した「第１号事業」なのだ。

太陽光をほぼ忠実に再現することができるＬＥＤ人工灯を導入した大規模なバーチカル

地下農場の建設が、日本各地で進行していた。

一般にバーチカル地下農場は、地下6階建てほどの深さを有し、さまざまな育成条件を別にした何階層もの階層耕地を設備している。

そうしたビル農場の建設は、2020年頃から始まった「プラントベースミート」(植物肉)の安定的な高品位供給源になると同時に、将来的な表土流出による農地の消失への抜本的な解決につながる具体策として起案され、同時に高度な制御技術開発や新規インフラ投資を呼び込む、国内経済の活性化を促す「起爆剤的側面」を有していた。

ポストコロナの時代、各国の財政方針にも大幅な転換が行われつつあった。

アフターコロナ復興のため、EUでは大幅な規制緩和が一部の国で行われたが、中央銀行機能を有するドイツ銀行からの債務が大きい国では大胆な財政出動が叶わず、不自由なEU脱退が討議され始めていた。反面、新型コロナウイルス禍で罹患者数が二桁万人オーダーの国々は、直近のG8では各国事情を鑑みつつ大規模な財政出動が急務とされ、自国内での資金循環を優先させた独自の金融緩和が実行されていた。日本政府も米国の顔色をうかがいながらも足かせとなった財務省の規制が部分的にではあるが、若干緩められようとしていた。中央銀行が「上限を設けない債券の引き受け」に舵を切り、財務省の憲法に近いプライマリーバランス構造も、国際的な不況脱出の命題のなか、ようやく公共投資枠が若干だが広げられつつあった。

純債権国である日本は、一般に知られていないが、金融キャパシティが他国より大きい。昭和の田中内閣時代を超える国土改造計画すら本来は夢ではないのだ。インフラが刷新されれば資金はさまざまな分野へ回り、民間の企業や市政の産業は資金循環の中で潤っていくことになる。光二のクライアント企業も、数多くの新規事業を請け負っていた。

その１つがバーチカル大規模地下農場だった。

ポストコロナ＝戦後の世界

コロナ・ピリオドに起こった「２０２０年大恐慌」は、世界経済の規模を一挙に10％以上縮小させ、各国で経済システムが崩壊の危機に瀕していた。

例えば米国では、就業者が２０００万人以上減り、失業率が戦後空前となる15％にも達した。

日本も同様で、内需型経済を安定的に支えてきた広範な企業、工場、商店などが倒産に追い込まれた。失業率は戦後最悪の５・５％をはるかに超え、10％に迫った。

商品市場では、生産活動の停滞でダブついたエネルギー価格が暴落する一方、熾烈な食糧獲得競争の中で穀物価格が高騰、飢餓の範囲が世界に広がった。

我が国の食料自給率が低いことはご存じのとおりだが、当時は「輸出統制」の規制がなく、多くの穀物・種苗、さらに苗木までもが海外に流出し、国民を不安に陥れた。

景気の低迷と生活苦が2年にわたって続き、コロナ病死者をはるかに上回る数の人々が命を落とした。感染症ではなく経済的困窮から、絶望により多くの人々が命を落としたのだ。

現代の戦争は「火薬」や「爆弾」では行われない。

空襲により街が廃墟化したわけではないが、人心の荒廃は、「焼野原」に匹敵していた。

地下ビル農場の着工など、２０２５年の世界で進められている公的資金の投入は、国の復活を目指し、遅まきながらも新たな時代の光となる可能性の兆しでもあった。

大復興時代の「飯場」

昼になり、地下から地上に上がった大和光二は、作業員たちに混じって、彼らが言う「飯場《はんば》」に足を向けていた。

食事を兼ねた休憩を取る、仮設の食堂である。

かつて、工事現場や鉱山などで、労働者のために設ける粗末な宿泊施設を飯場と呼んだ。だが、大不況を経験し、乗り越えてきた今の職人たちは、自分たちが集う食堂や寄宿舎を、好んで昔風に「飯場」と呼ぶようになっていた。

２０２５年の現場待遇が昔ほど悪いはずはない。まだ春先だが、この日は少し気温が上がったため、プレハブ作りの食堂内には既に冷房が効いていた。

現場から上がってきた作業員たちは、口々に「おー、気持ちいいな」などと言い合いながら、昼食のメニューを選び、思い思いのテーブルについていた。

作業員が後輩をからかっている声も聞こえてくる。

「お前、ちゃんと娘に電話したか？」
「いえ、まだです。飯を食ったらかけます」
「こいつ、コロナ・ピリオドに子作り頑張っちゃったんだよ」
「なんだ、お前もか！」

若い作業員たちの会話は、屈託がない。

普段なら、昼には持参の弁当を開く大和だが、ここでは彼らと同じ食堂の料理を口にしていた。

5年以上前の日本は、世界の中でも最も充実した外食文化を誇っていた。いわゆる「ミシュランの星」が付く店も世界一多かった。

だが、それらはほとんどが個人経営であった。新型コロナ禍による「自粛不況」で、自慢の店を閉じざるを得なくなった店主が大量に現れた。飲食店のみならず、料理自慢だった旅館なども同様だった。

彼らの中には、4年前（2021年）の五輪パラリンピックで「世界をもてなす」夢を抱いた者も多かった。

今、彼らのうちの名人たちが、再起を期して、各地の工事現場で腕を振るっており、その飯は旨かった。

彼らも作業員らと同じ復興の同志であり、それが「飯場」エネルギー源だった。

誇りに賭けて穴を掘る！

「それにしても深い穴を掘ったもんだなぁ。さっき真上から見てびっくりだぜ」

「景気回復をテコ入れするために、全国で掘りまくってるんだってな」

「工事のための工事だって、批判をしている評論家もいるのよ、テレビで」

「どっちにしても、現場は多いほうが俺たちにはありがたい」

そう言い合う中、どこで仕入れてくるのか、工事の目的について「裏情報」を披露するメンバーもいる。

「こうやって、各地に深い穴を掘るわけだろ？　実は、近々起こる戦争に備えてるんだって噂もあるぜ」

「核シェルターってこと?」

ここ数年、国際的にも変化が激しい。戦争、謀略、裏取引……。酒場に行けば、そうした噂で持ち切りだった。


欧米の管理職なら作業員たちとの間に一定の距離を置くのが一般的だが、日本では、現場監督と職人らの間に垣根がない。

大和ら技術者も、土木工事の監督や従業員らと、何の違和感もなくテーブルを囲んでいた。

「ところで先生たちは、底のほうの階で何をやってるの?」

近くに座った好奇心旺盛な作業員から、大和が訊かれることもあった。

「この農場をコントロールする制御用システムを作っているんだ」

「へえ〜。ここって工場みたいなもんなのか?」

「そうとも言えるかな。コンピュータで作物が育つ環境を整えるんだ。各階で違う穀物や野菜を育てることになるから、階ごとに、作物が好む環境を作ってやらないとね。その制御を、一番下の階でやっているんだよ」

大和は、若い連中にも面倒くさがらず話をするので作業員に人気があった。

地下ビル農場の建設は、多くの者にとって初めて関わる仕事であり、大和の話を聞くと改めて、自分たちが今、何を造っているのか、具体的な「イメージ」が沸くようだった。

そして、少し詳しい者は誇らしげに知識を自慢する。

「おまえら、ここの農場は地下10階建てになるんだぜ。今、全国で造られている中でも、最大級なんだってよ」

「お～、俺たちすごくね？」

会話を通じて自分たちのプロジェクトの壮大さを肌で感じると、皆の目が輝くのがわかった。

地下シェルター？

戦争になるかどうかはともかく、活況の陰で「一触即発の国際情勢」が続いているのも事実だった。

——自分たちは「核シェルター」を掘らされているのでは？

そう思う者が少なからずいても、不思議ではない。

大和自身、最近親しくしている現場監督に聞かれたことがある。

「農場の司令塔を、なぜ敢えて地下の一番深いところに置くのですか？」

そのときは、

「私もよくは知らないのですが、コンピュータ類を地中深くに置いたほうが、電波障害や自然災害の影響を受けにくいから……でしょうね」

とりあえず、そう答えた。

地下農場は、実質的に地表面積の数倍に当たる農地を確保できるうえ、通常なら耕作好適地が限られている都市部でも、ビルを建てるのと同じように農地を生み出すことができた。

そして、災害から農産物を守り、安定的に供給できることも、地下農場のメリットとして謳《うた》われていた。

この列島には自然災害が多い。現実問題として、15年前の震災のように大規模な地震は必ず来るし、近年は豪雨や竜巻による被害も目立っていた。

「なるほど。地上に置くほうが便利ではないかと思ったが、いざという時のことも考えているわけですか」

だがセキュリティの専門家である大和は、別の理由も耳にしていた。

彼の上司の話によると、新しい農場の管理システムを敢えて地底に配する理由は、将来のＥＭＰ《イーエムピー》攻撃にも備えたものだというのだった。

ＥＭＰ、即ち「電磁パルス」である。

例えば、大気中で爆発した「核爆発」によって発生した粒子線が大気中を通過する際に、膨大な電子が生み出され、広い帯域にわたるパルス状の電磁波（電磁パルス）が放出される。高エネルギーの電磁パルスであれば、通信ケーブルやアンテナに電流の大波（サージ電流）を引き起こし、電子機器を誤動作させたり、時には回路を破壊するのである。

電磁パルスを利用して電気系インフラを破壊する「ＥＭＰ兵器」の開発に既に成功している大国が実在する。

かつて「ＡＢＣ兵器」という言葉があった。Ａはアトミック（核爆弾）、Ｂはバイオ（生物兵器）、Ｃは毒ガスなどのケミカル・ウェポン（化学兵器）を指す。非人道的とされ、禁じられたはずの兵器だが、その使用は実は止んでいない。

そして、21世紀の先端軍事技術は、さらにＤ＝デジタル兵器、Ｅ＝環境兵器・気象兵器・電磁兵器を生み出した。EMP爆弾も、そうしたE兵器の1つだ。

冷戦——対立軸の変動

どの国が、いつ、何のためにEMP攻撃を仕掛けてくるのか。

大和はもちろん、彼の上司にも予想できない。実際に攻撃を受けても、我々には真実がわからないかもしれない。

2020年の新型コロナウイルス禍が、自然発生か人災か、事故なのか故意なのか、仮に故意だとしても、誰が、どんな目的で引き起こしたのか。わからないのと同じである。

しかし、2025年の常識ある大人なら、誰もが認識していることがあった。

それは、我が国を含む世界の主要国が、「常に」戦時下にあることだ。

もちろん、かつての東西対立とは異なる。

現在の主たる対立軸は、米国を盟主とし、日本、英国、豪州などが連携する「シーパワー」と、中共との関係を深めた欧州連合、ロシアなどが結ぶ「ランドパワー」である。

両陣営は、主に「高率の貿易関税」という壁を隔てて対峙している。

プレコロナ時代に米中が相互に課した関税合戦の延長であり、実質的に「2つの経済圏」を形成していた。

だが、2020年のコロナ・ピリオドを経て、世界は（少なくとも旧西側先進国は）中共包囲網を構築するはずではないのか？

コロナウイルスによるパンデミックを招いた中共は、その責任に目を瞑り、自国の権益拡大に奔走した。そのふるまいに、世界中の人々の怒りが振り向けられた。

それは確かだ。

だが、一時的に「世界対中共」という構図に見えた国際地図は、間もなく塗り替わる。

独仏を中心としたEUが中共と結ぶのだ。

彼らは、ポストコロナの大恐慌を脱するために、中共に頼らざるを得なかった。

国家は、自律的な財政運営なくしては存立しえない。

「国家を超えた共同体」に財政規律を委ねていたEU諸国の政治的幻想は、コロナがもたらした大恐慌により実質的に破綻した。そして、依然として覇権をうかがう中共と結ぶことで、経済の立て直しを図ったのだ。

中共の台頭を牽制する米国は、欧州を見限る。そして、自由主義経済を標榜する「シーパワー陣営」は、各国が協調して例のない規模の財政出動を断行し、勝ち抜こうとするのだ。

そして、この戦いの戦場はデジタル空間、サイバー空間に移っている。デジタル空間を具現する電脳網を破壊するＥＭＰ兵器は、新たな脅威になった。

オンラインでの共同作業

その日、洋子と大和陽子は、オンラインで一緒にメディアの原稿を書いていた。テーマは陽子が依頼された、海外での最近の「デジタル行政」事情。

お互いのモニターに、相手の顔と、検索した資料などを表示して参照していた。

――海外でも、サイバー空間に行政システムを移す自治体は増えているのね。

とリーダー役の陽子。

この時代、全国各地の自治体が、電子行政システムの充実を競っていた。海外でも、その事情は変わらないようだ。

大きなきっかけは、新型コロナ禍の最中に一部で臨時に導入されたEエレクション（電子投票）だったが、その選挙制度が次第に定着するとともに、さまざまな行政手続がネット上で済ませられるようになっていった。

——あ、そういえば、私、自分の故郷にデジタル住民登録してるのよ！

「それって、最近よく聞く《バーチャル自治体》のことかしら？」

いま進めている作業ともつながりがある話題なので、真面目な洋子も雑談に乗る。

——まあ、そうね。でも、私の場合はブームに乗ったわけじゃないのよ。昔、生まれ故郷や応援したい自治体に住民税を納める「ふるさと納税」というのがあったでしょ？

「聞いたことはあるわ」

——私の田舎でバーチャル自治体が出来て、昔の同級生が知らせてきたの。それで住民登録をして、ふるさと納税をしているわけ。

「ここの住民税は？」

——今の制度だと、居住地とバーチャル自治体で折半になってるはず。

バーチャル自治体

自治体の間で「バーチャル自治体」興しがブームになり、居住地と異なる自治体にデジタル住民登録をする人が増えていた。

政府は、開発に力を入れる地方の活性化を後押しする機会にもなるととらえ、活用が進んだマイナンバーと紐づけて、自治体間での税金の「折半」を行いやすくした。同時に、自治体間で不公平感のあった「ふるさと納税」は廃止された。

そういえばコロナ以前にも、将来の人口減少に備えて、地方自治体が行政サービスをデジタル化する「スマート自治体」の実現が目指されていた。だが、バーチャル自治体は、そうした取り組みとは少し意味合いが異なり、自治体の広報戦略の一環として、「住みたい場所人気投票」に近いものになっていた。

――私、今のブームはどうかな～と思ってるのね。結局、デジタル住民ってイメージから入るから、《サイバー東京》と《デジタル大阪都》に集中するでしょ？

「そうね。あとは《バーチャルふくおか》とか《ネットでほっかいい道》とかね……」

国内でのこうしたバーチャル自治体の発足は、大阪が先陣を切った。その《デジタル大阪都》を追うような形で《サイバー東京》が発足、その際、「リアルな都はこちら」と謳ったことから、デジタル大阪都民に「追っかけ」「マウンティング」などと揶揄された。かくしてネット上では、東西の「仮想都民」同士の論争やかけあい漫才が、常時展開されているのだった。

バーチャル自治体には、日本文化を愛好する外国人による海外からの住民登録も多く、地上の自治体よりも国際化が進み、リアルな自治体の「将来像を映す」とも言われていた。

そういえば、まだ話題にしたことのない疑問が洋子にはあった。

「ねえ、私はここの出身だけど、陽子さんたちは、なぜこの街に住むことにしたの？」

――言ったことなかった？　夫が、ここの生まれなのよ。ああ、それもあって私は、自分の田舎にデジタル住民登録させてもらったんだけどね。

「ああ、そういうことだったのね」

ビデオ通信での相談

その後、作業に集中した二人は、原稿を仕上げてから余った時間を、ビデオチャットに費やした。

宗像洋子は、機密を扱う任務に携わっていた夫の影響で、ＰＣのセキュリティに人一倍、神経を配っていた。

それが、陽子との関係をより深め、さらには大和家と親しくなるきっかけになった。

オンライン授業を始めてから、ビデオ通信システムのセキュリティに少々懸念を感じていた彼女は、話の流れでなんとなく、そのことを大和陽子に告げた。すると、

――それなら、うちの夫に相談してみる？　セキュリティ関係のエンジニアなのよ。

「あら、そうなの？」

――今、もしかして話せるかもしれないから、電話してみる？

「いいのかしら？」

その頃、大和光二は一日の仕事を終えたばかり。

帰途に就くまでのわずかな時間を、飯場で仲間とくつろいでいると、聴き慣れた着信音が鳴った。現場で身に着けている腕時計型の小さな端末に、ビデオ通信の窓を開いた。

――もしもし、今、話しても大丈夫？

「ああ、かまわないよ。ちょうど仕事が終わったばかりだ」

モニターに映っているのは、妻・陽子の顔だ。

――実は、ちょっとお願いがあってね。私のお友達のＰＣのセキュリティを見てあげてほしいんだな。

「まだしばらく戻れないけど、リモートでアクセスすればいいのか？」

――ええ、できるわよね？

「まあ、ＰＩＮコードとかがわかれば、なんとかなるが……」

――じゃあ、本人に話してくれる？

「いいよ」

思いがけぬ再会と出会い

狭いモニターにもう一人、女性が顔をのぞかせ、名乗ってきた。

宗像という名前を聞き、妻との関係について説明を受けていた光二は、

——おや？

と思った。外交官だった夫を亡くして、ドイツから帰ってきた、同年代の女性……。

「もしやあなたは、ドイツ大使館にいた宗像圭祐さんの奥様では？」

——えっ、どうしてわかったのですか？　と洋子。

窮屈そうな画面の中で、妻も驚いた顔をしていた。

——ねえ、あなたが前に話してた方が、この洋子さんの旦那さんなの？

「どうやら、そういうことのようだ。そうですね、宗像さん？」

すると、肯定した宗像洋子のほうも、思いがけないことを尋ねてきた。

——もしかして間違っていたらごめんなさい。あなたは、○○小学校でサッカーをしていた大和さんですね？

「ええ、そうです」

――やっぱり……。私、同じ小学校の後輩なんです。

数日後、光二は仕事の合間に「二人のヨーコ」と連絡を取り、宗像洋子のＰＣネットワークを診断して、若干のアドバイスをしてやった。

後日、彼が長い出張から自宅に戻っていたとき、洋子が、幼い娘に手土産を持たせて「お礼」にやってきた。

迎えた大和夫妻が二人をリビングに通し、お茶を飲んでいるところへ、「ただいま！」と、息子たちが飛び込んできた。

「あ、お客さん？」と驚く二人に、母親が「ほら、英語の宗像先生！　それと娘さんよ」

「あ…、先生、こんにちは」と身を固くする餓鬼。

那由多は大人には無関心で、女の子のほうに気を取られている。

グラウンドで転げ回ったらしく、兄弟の顔や服には泥がついている。二人は、その顔をややこわばらせて女の子を見ていた。

「こんにちは！」と、那由多より一回り背の高い女の子があいさつし、兄弟も頭を下げる。

「学校に行っていたのでしょ?」

アマネが大人の会話から聞き取ったことを確かめると、

「うん。お兄ちゃんとサッカー!」と那由多が答えた。毓は「うん、そう」とうなずく。

――二人とも、まず顔を洗ってきなさい。

これが、アマネと大和兄弟との出会いだった。

クラウドファンディングと電子マネー

ポストコロナの世界では、教育や行政システムだけでなく、経済活動のスタイルも変わっていく。例えば金融のあり方や、人々の投資スタイルなどだ。

コロナ大不況は、多くの企業を倒産に追い込み、株価や通貨価値にも大きな影響を与えた。それ以前には、利ザヤを稼ぐための投資(投機)に成功した者がもてはやされる空気もあったが、徐々に空しい行為として人々から蔑まれるようになっていった。

代わりに2025年の多くの投資家が熱中しているのが、ネットを介した「クラウドファンディング」である。

コロナ禍の直後に、財政的に困窮した有望事業を支えるソーシャルファンディング運動が広まった。そして、その後の復興期に、どん底から再起を図ろうとする小規模事業者や、新規事業の立ち上げを考える若者たちにより、クラウドファンディングによる資金調達の動きが定着したのである。

従来の大企業で扱われづらかったようなさまざまな新技術に、多くの個人資金が流れ込んでいた。少数の銀行員による融資の審査より、マーケットが、よほど妥当な評価を多くの事業に与えていると言えた。

一方、金融機関の役割も大きく変貌し、例えばＳＴＯ《エスティーオー》（セキュリティ・トークン・オファリング）の上場など、デジタル通貨（仮想通貨＝暗号資産）の発行による資金調達を積極的に仲介・支援するようになっていた。

セキュリティ・トークンの「トークン」とは、簡単に言えば電子マネーなどの代用通貨を意味する。以前から、ＩＣカードを活用した交通系電子マネーや流通系カードポイントが普及していたが、それがトークンだ。古くはテレフォンカードなどもトークンの一種である。

だが、新時代の「セキュリティ・トークン」とは、ＳＴＯに出資した投資家に交付される専用の電子デバイスである。

セキュリティ・トークンには、持ち主の保有する額のデジタル通貨が記録されており、出資者は、その役割上「財布」にも似たその端末間でデジタル通貨のやりとりを行う。

そもそも電子マネーとは、交通機関にせよ小売店にせよ、あるいは通信網にしても、同じシステムを利用する者同士の間でのみ通用する決済方法であった。

それが、事業展開を前提としたＳＴＯへと発展し、新しい価値創造の手段として重用されるようになっているのだ。

そういえば、大和光二たちが「飯場」の支払に使っているのも、施工するゼネコンから支給された独自のセキュリティ・トークンだった。

国際機関の信用失墜

この時代、地下農場のほかにも、高速道路や橋梁・トンネルの強化、新たな鉄道の敷設や治水事業など、列島の各地でインフラの更新が続いていた。

以前と異なるのは、都市部の再開発が中心ではなく、全国で均一に工事が進んでいる点だろう。コロナ期を経て、一極集中あるいは都市偏重型の文明が、地方分散型の文明に生まれ変わりつつあった。

一方、地方都市では、中核地域への集住を図ることで、限られた公共サービスに高齢者などがアクセスしやすくなる、計画的な再開発も進められていた。

では、ポストコロナの世界では、なぜ史上空前の財政出動が可能になっているのか？

ひと言で言えば、人々が「目覚めた」からである。

コロナ禍を経て、世界を大混乱に陥れたＷＨＯへの批判が高まり、とりわけ一貫して中共の代弁者を務めていた姿勢が非難された。少なくとも建て前上のスタンスが「中立」であり「正義」であるはずだった国連関係機関全般の信用が失墜する。

国連が十分に機能していないとはコロナ以前から言われていたが、今や国際世論の不満と不信は、ユネスコやユニセフ、ＷＴＯやＩＭＦなどにも及んでいた。

ＩＭＦ＝国際通貨基金は、国連関係機関の中で、珍しく日本が影響を及ぼすことのできる組織である。国際金融システムの安定を目的とするＩＭＦは、国際収支が崩壊した国に融資を実行することで知られるが、「緊縮財政」の総本山のような組織でもある。

そのIMFが、しばしば「日本は財政破綻寸前」「消費税率のアップが望ましい」などとコメントしていたが、その出所は、ほぼ日本の財務省だったと考えてよい。

ちなみに、国際連合＝UNとは、日独と第2次大戦を戦った「連合国」である。現在も国連には、日本とドイツを名指しした「敵国条項」が生きている。

「財政規律派」の勢力後退

プレコロナの時代には、世界中の国々で「財政の健全化」が謳われていた。例えばEUの財政規律である。

欧州では、1993年の安定成長協定により、単年度の財政赤字対GDP比を3％以下に、債務残高対GDP比を60％以内に維持することが各国に求められてきた。単一通貨ユーロの価値を維持するためだ。

ところが、多くのEU加盟国はこの基準を満たすことが難しく、厳しい緊縮財政に迫られた。そうした背景からやむなく医療予算を圧縮した国々も多く、コロナパンデミック時に押し寄せた患者を診療しきれない「医療崩壊」現象が現出したと指摘されている。

加えてコロナ・ピリオドには、急激な景気の後退が世界を襲った。その社会的・経済的混乱を収拾するため、ユーログループ（ＥＵ財務相会合）は、財政規律に基づく各国の借入制限を停止したのだった。

かくして世界は、緊縮から積極財政へと舵を切らざるを得なくなり、グローバル化からローカル化へ、グローバル経済からブロック経済へと潮目が変わっていた。

日本でも、プレコロナ時代には「国の借金」というたとえ話がまかり通り、「プライマリーバランスの黒字化」が財政の最優先課題であるかのように語られていた。

プライマリーバランス、即ち基礎的財政収支とは、税収などの歳入と国債償還を除く一般歳出のバランスを意味し、国民から徴収する税金で歳費をまかなえれば「黒字」であり、健全な財政状態とされる。反対に、プライマリーバランスがマイナスであれば、国は国債を発行して不足する経費をまかなうことになる。

日本では、プライマリーバランスの「赤字」が続き、コロナ禍が引き起こされる直前の国債発行残高が約９００兆円に上っていた。公的債務残高対ＧＤＰ比にして２５０％近くである。負債を打ち消す資産額を差し引き、純債務残高にしても５５０兆円以上、純債務残高対GDP比も150％以上に達している、とされた。

国債とは、国による「借金の証文」だ。「その借金を減らせ！」というのが、財政規律派（財政均衡派）の主張であった。その内容は、財政収支の黒字化（国債に依存しない財政）と、債務残高対GDP比の縮小（国債発行の抑制）から成る。

だが、世界的にコロナ不況からの復興が急がれる中、積極財政を主張する「経済均衡派」が各国で台頭、我が国でも「国の赤字」論が勢いを欠き始め、財政規律派は影響力を失いだしていた。

国家のバランスシート

では、そもそも「国の赤字」とは何だったのか？

国家財政のバランスシート（貸借対照表）で、借金である国債は貸方、つまり右側に記される。一方、左の借方には国の資産が来る。

ここで、右側の900兆円とされる公的債務残高が「国の借金」である。そして、左側の資産と相殺した場合の純債務が550兆円あるから、企業なら大幅な債務超過と言える。

これが、いわゆる「国の赤字」だ。

過去にロシア、アルゼンチン、ギリシャなどで起こったデフォルト（債務不履行）は、国の借金である国債の償還や利払いができなくなる状態だ。これらの国は「国の赤字」が膨らみ、借金を返せなくなった。

そこで、「債務残高対GDP比を60％以内にする」といった財政規律が持ち出されるのだ。そして、債務残高対GDP比250％の日本は「財政破綻寸前」と言われていた。

だが、過去に財政破綻した国々と日本では、全く異なる点がある。

多くの国々は国債の引き受け（つまり融資）を外国の金融機関やファンドに頼っており、国家予算の中から外国に対して利息を支払っている。それに対して、日本国政府の国債を引き受けているのはほぼ日銀である。

政府が自国の中央銀行から資金を調達している状態を、「国の赤字」と呼ぶことは正しいのだろうか？

信用創造

国債と紙幣の間には、実に巧妙な経済のからくりがある。そのからくりを理解するには、銀行の融資のしくみから説いたほうがわかりやすいだろう。

我々が銀行へ行ってローンを申し込むと、銀行は返済能力や担保価値を計算して融資額を決め、その金額を我々の口座に振り込んでくる（通帳に記入する）。

この時、銀行はどこから我々に貸す資金を持ってくるのか？

はっきり言うが、支店にも本店の金庫にも、そんな現金は必要ないのだ。

銀行が「いくら貸す」と言った時点で、それまでどこにもなかったマネーが、その金額分誕生する。これが、資本主義経済を支えている「信用創造」という仕組みである。

信用創造は、中央銀行である日銀が、市中銀行の勘定にその金額を計上するという方法で行われる。

では、日本国債とは？

そもそも日本の紙幣である日銀券は、日本政府が予算に必要とする額を日銀に伝え、日銀がその金額分発行することで生み出される。その際、政府が日銀に渡す借用書（約束手形）が国債である。

つまり政府は、個人が銀行から融資を受けるのと同じように、日銀から「信用創造」により融資を受けるのである。したがって、日本政府が日本円で日銀に引き受けさせた国債のために、日本という国がデフォルトすることは、論理的にほぼありえないことになる。

債務残高対ＧＤＰ比が世界一であっても、円が暴落しないことはご存じのとおり。日本という国の信用は、実は絶大なのである。

２０２５年には、マネーに対する日本人の知識と感性が、飛躍的に洗練されていることを期待したい。

第2章

目覚めた人々／2030年——サイバー・クライシス

「火星の時代」――2030年代

時計の針を2030年に進めよう。

2030年代には、火星への有人飛行の実現が見込まれている。

2020年代前半、新コロナウイルス禍の影響で打ち上げが延期された火星探査「エクソマーズ（ExoMars）計画」もようやく進展。一方、イーロン・マスク氏が設立したスペース・エクスプロレーション・テクノロジーズ（通称：スペースX社）が、NASA《ナサ》（アメリカ航空宇宙局：National Aeronautics and Space Administration）の委託を受け火星着陸船の設計を担当した。

宇宙利権を巡って、各国間の「競争」が激化し始めていた。

エクソマーズは現在、ESA（欧州宇宙機関）とロシア国営企業ロスコスモス社（Roscosmos State Corporation for Space Activities ＝宇宙開発全般を2016年から担当）との共同事業である。

米国がオバマ政権時代の2012年に予算を理由に離脱したのち、2013年にはロシアとヨーロッパ諸国が連携し、さらに「天問《てんもん》」で火星進出を目論む中国（国家航天局）が、やがて財政面で参加し影響力を強める背景が徐々に整いつつあった。

火星探査は、1970年代の米ソがそれぞれ無人で成功させており、その後は地球外にロケット打ち上げ能力のある国々が、米ソに続く計画を進めていた。

米国のNASAが予定していた火星の有人探査計画は、先に月面有人着陸を行い、その後の2033年に、変更になった。

日本では、2028年にJAXA《ジャクサ》が火星へ無人探査機を送り、衛星フォボスの表面物質サンプルを持ち帰る計画（火星衛星探査計画／MMX：Martian Moons eXploration）がある。

さらに、民間の財団では「共振電磁場《きょうしんでんじば》」を推進技術に応用した「飛行実験」が、2030年代にあるのでは…という「うわさ」に、一部の人々の熱い視線が送られていた。

宇宙を満たす振動は、計測可能な振動から未だに計測機器でとらえることができない高周波領域まで存在する。縦波振動（粗密波《そみつは》）である「音」は可聴音領域20～2万Ｈｚ《ヘルツ》以上を超音波と呼び、ほとんどの人の耳には聞こえないが、皮膚表面を振動させることで、人に「興奮」を与える要因になることが「ハイパーソニック・エフェクト」（日本で発見された超音波効果）の研究で知られるようになった。電磁波もレーダーに利用されるミリ波より波長が短い高周波は、２０２０年代当時は未だ連続発振が難しいと言われていた。

重力の謎

重力の振動を研究者は「重力波《じゅうりょくは》」と呼ぶ。

惑星の持つ重力の原因は、地球自体と他の物体が発する「電磁場」の相互作用ではないか…とする研究が秘密裏に進められていた。その理由は、従来の理論と全く相容れないため、大学や大手研究機関で予算を取得することが全く叶わず、研究者自身が捻出する研究費によって、進められてきた経緯があるからだ。

一例を挙げると、例えば物体の表面温度を上げると重量が軽くなるという現象がある。

２０１６年に報告された熱重力効果だ。発表当時もメジャーな研究者からは全く無視されたが、地球表面から物体に届く重力場が、物体の表面温度が上がることで邪魔され、物体に生じる「引力」を軽減すると考えられる現象である。

さらに言えば、物体が外に発する電磁場と地球が発する電磁場が「共振」を起こした場合、電磁場の大きいほうに引っ張られる。これは磁石の同極同士でも片方が圧倒的に強い場合、強いほうに引き寄せられる状態に似ている。この現象を「共振電磁場」と呼んでいる。

重力が、ある物体とある物体の発する電磁場の相互干渉であるなら、人工的に地球の重力場に匹敵する強い重力場（電磁場）を生じさせられれば、その物体が地球の重力場から完全に自由になることは夢ではない。もし「共振電磁場」の発生を制御できるなら、人類は自動車や飛行機や船に替わる新たな動力を手に入れることになるだろう。

２０２０年4月に、ＮＡＳＡが「ＵＦＯ」とされる映像の一部を公開した。米軍が有するとされる墜落した飛行物体の情報開示か…と一部の人々は期待したが、情報として不十分である。筆者が思うに、まだしばらくは米軍の持つ情報は期待するほど表に出てこないだろう。

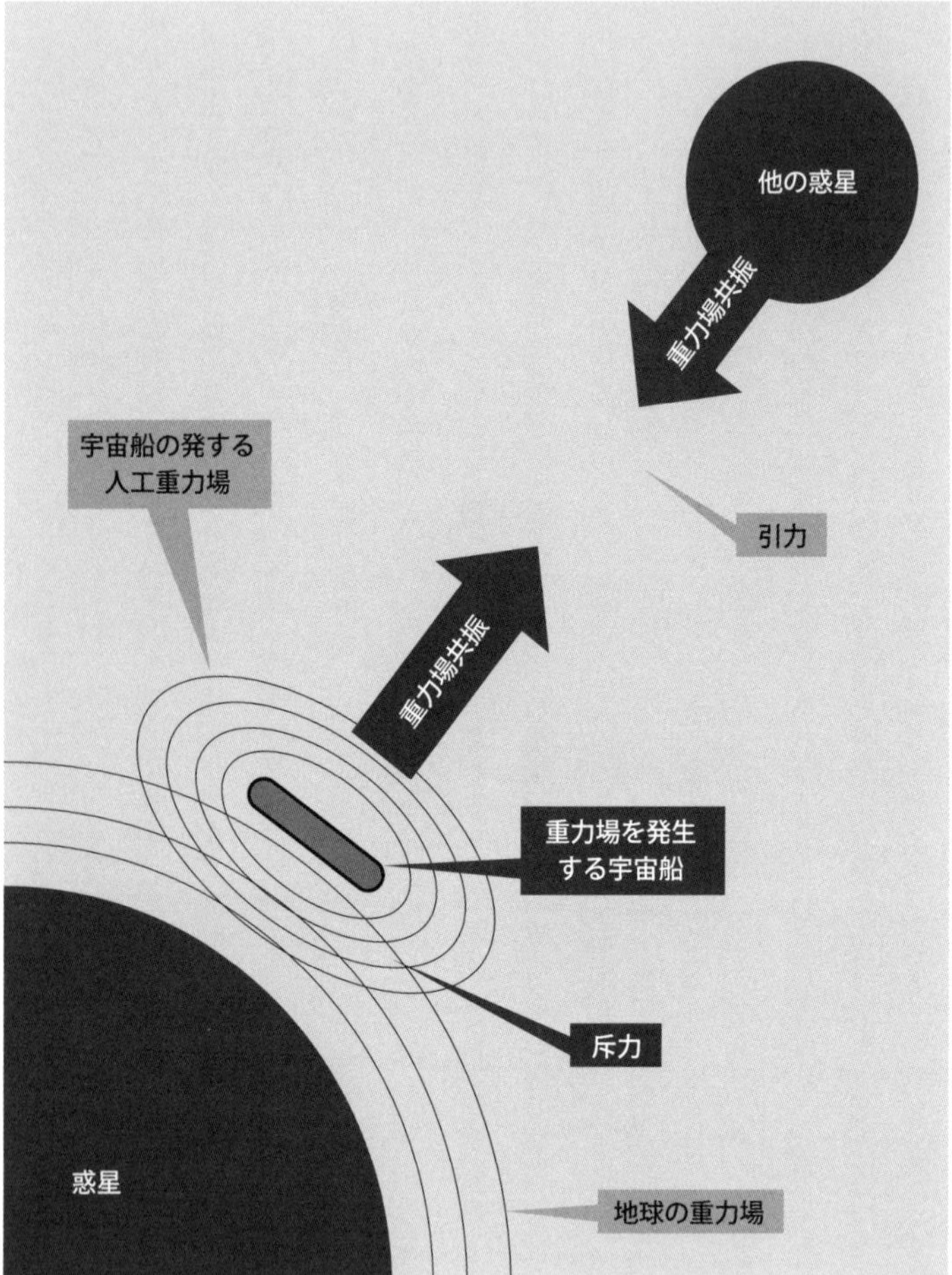

重力場共振による宇宙航行技術

Eアイランド

２０３０年、40代になった働き盛りの大和光二《やまとこうじ》は、日本の湾内にある民間の研究施設に転職していた。

「Eアイランド」。それはH財団が運営する総合研究所であり、島全体がさまざまな分野の基礎研究施設で、多くの研究者が勤務していた。

大和光二は、クーロン輻射《ふくしゃ》技術を利用した「通信インフラ」の実現のための基礎研究を担当していた。クーロン輻射技術とは、従来の電磁波の欠点を補い、岩盤や鉄板をも障害としない電気振動による伝送技術のことである。

大和光二は、二重暗号化のリーダーとして、信号の送信側と受信側で暗号・復号を同時に行うプログラムのカーネル設計を指揮していた。

他の部署では、「超電導構造体《ちょうでんどうこうぞうたい》」や、その構造体を利用した「ヨタヘルツ発振回路」の開発など、約３００種類の基礎技術が計画的に研究されていた。

超電導構造体とは、従来は絶対零度（０K《ゼロケー》＝マイナス２７３・15℃）ないし１００K

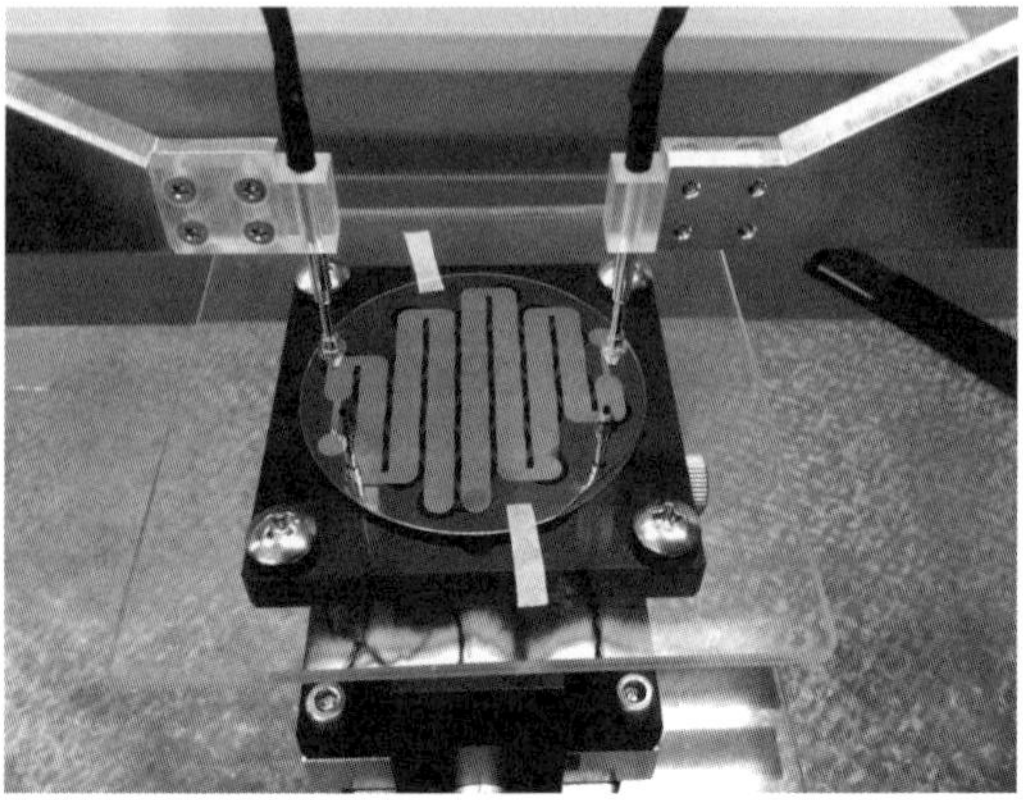

開発中の薄膜超電導構造体

（マイナス173℃）程度の超低温で起こる現象を、常温域で起きるように設計した薄膜構造体のことだった。常温で電気抵抗がほぼゼロになると、発熱の代わりに周囲の温度を吸熱する。この薄膜構造体が「ヨタヘルツ発振回路」の基幹技術となっている。

また、Eアイランド内にある「ヨタヘルツ発振回路」は、物質波といわれる「10の24乗」ヘルツ以上の領域の原子や分子の振動周波数の直接発振が可能となり、物質を特定して周波数を決定し、振動周波数を発振することで、従来は不可能だった「ある分野」の重要課題が解決する可能性を秘めていた。

宇宙に存在する「物質以前の物質」を「暗

黒物質（ダークマター／dark matter）」と呼ぶ。

暗黒物質は、天文学的現象を説明するために考案された概念で「質量は持つが、光学的に直接観測できない」とされる仮説上の物質で「銀河系内に遍く存在する」とされている。これまで多くの学者が検出を試みたが成功していない。

Ｅアイランドの研究チームは、暗黒物質を「原子の有する電子の軌道がＫ殻以下まで落ちた状態」と定義し、計測可能な原子サイズ以下にあって、原子を容易に通過する状態になっている「物質化前物質」状態を「暗黒物質」と定義している。

大和は数年前に、勤務していた大手電機メーカーの技術者として、Ｅアイランドの中枢コンピュータシステムの構築に携わった経験がある。そのとき、この研究施設が次世代に何を残そうとしているのかを知り、深く感動した。社に戻った大和は、自らの意思でメーカーを辞め、Ｅアイランドの通信セキュリティ技術担当者として再び事業に参画したのだった。

スーパーコンダクターマウンテン

彼自身は、長年システムエンジニアとして生きてきた。だから、ここで研究されている電磁気や超電導に関する知識や経験は持っていない。だが、どんな研究も支えるのは蓄積された情報だ。その漏洩を防ぎ、外部からの悪意ある攻撃や通信事故に対処することなら私にもできる。

次世代のため、できることがある。急に熱いものが胸にこみ上げ、涙が両目から溢れていた。なぜ泣いたのか自分でもわからなかった。

妻の陽子《ようこ》や息子たちも、彼の決意を応援してくれた。

Eアイランドがある湾の周囲には小高い丘が左右に広がり、不動産業者が整備した工業団地に彼らの技術の事業化を目的とした大小の企業が、だんだんと集まり始めていた。

この集団が《SCM《エスシーエム》》即ち「スーパーコンダクターマウンテン」と後に呼ばれる企業集団である。

米国カリフォルニア州北部にあるシリコンバレー（Silicon Valley）。その由来は、半導体研究所ができたことに始まる。ＳＣＭ（スーパーコンダクターマウンテン）は、読んで字のごとく「スーパーコンダクター（超電導体）」研究所がＥアイランドに最初にできたことによる。

光二は、Ｅアイランド内の居住権を取得していたが、彼はあえて島の外のＳＣＭ区域の自宅で家族と暮らしていた。

転職してこの地に引っ越してきたときには息子たちが共にまだ小学生だったからだ。自治区であるＥアイランドより義務教育を優先してＳＣＭのある市に居を構えたのだった。

あれから3年の時が流れ、今年、長男の航《こう》は中学2年生になっていた。

複雑怪奇な国際地図

２０２０年代の国際社会は、対立軸が「海洋国家陣営」対「大陸国家陣営」として現れ、経済基盤の実質的ブロック化が着実に強まっていた。

30年前、東西デタントを経てソ連邦が崩壊したのは、米国との苛烈な軍拡競争で国家の経費が膨張し経済が破綻したことが理由だった。

その後、連邦の盟主であったロシアは資本主義化。中共も、遠からず同じ道をたどると世界の識者は予測していた。2020年のウイルス禍は、その引き金になる……と思われた。

中共と技術覇権を争う米国は、当然、その機に乗じてIT機器のサプライチェーンから中共系企業を排除し、その弱体化を図る動きを強めるかに思われた。

ところが、現実はそうならない。


金融業界は、中共が改革開放に舵を切って以来40年にわたり、莫大な投資を行ってきた。今、引き揚げとなれば、今までの投資額を回収できなかった。

異形の大国チャイナを育てたのが、ウォール街だ。米中は、表面上激しい対立劇を見せながら、裏で経済的結び付きは続いていた。

そして、米中の応酬の間に、独仏を中心としたEU勢がいた。欧州経済が、ロシアを含む「一帯一路」で中共と強く結ばれているからだ。一方で、日米の主導により、英国を含むインド太平洋地域の国々が静かに緊密な関係を結んでいった。

通信規格を巡る技術覇権争い

新コロナウイルス騒動の前に、米トランプ大統領が「貿易戦争に勝つ」と息巻いていたのは、ただ再選のための人気取りだったのか？

いや、トランプ政権と米財界は、国家戦略として次世代規格AG《エージー》（アメリカン・ジェネレーション）の準備を、虎視眈々と進めていた。

そして、その完成とともに遂に「鉄のカーテン」を下ろしたのだ。

3年前…。

――米国、COCOM《ココム》-2《ツー》閣議決定！　対中国圏輸出統制委員会発足！

COCOM-2（Coordinating Committee for Multilateral Export Controls Second）。

その事件が報じられたとき、大和陽子は「戦争になるのかしら？」と不安がり、夫の光二に考えを訊いた。光二は、

「戦争もいろいろあってね。ドンパチが起こることはないと思うけど、サイバー戦はこれ

までより間違いなく激しくなるだろう」

「あなたの仕事と関係あるじゃない！」

「うん…まあね」

そして今、

――あの会話以来、３年が経つのだな。

折に触れて光二は、その「戦争の危機」を思い、気を引き締めていた。

かつての米ソ冷戦下、資本主義陣営がＣＯＣＯＭ（対共産圏輸出統制委員会）で東側との輸出を管理し、社会主義陣営はＣＯＭＥＣＯＮ《コメコン》（経済相互援助会議）の結束で応じた。それと同じように、シーパワー側とランドパワー側は、互いに仕様の異なる技術を競い、また盗み合う時代に入っていた。

日本の国は米側だ。当然、ＳＣＭ企業群の誇る技術も「対大陸国禁輸品目」だった。だが、Ｅアイランドは、その中核技術を未だ同盟国の企業にも基本的に開示していなかった。

「2030年問題」のゆくえ

この時代、世界の人口は約85億人に達している。２０２０年の世界人口約78億人から、10年でおよそ９％増えることになる。

技術の粋を尽くし、ビル農場などを駆使して食糧増産を図る理由はそこにもある。

だが、人口の増加は主に発展途上国で進む。米国やインドを除く先進国では、おおむね人口が頭打ちとなり、むしろ減少している。

その中でも、特に日本の減少率、高齢化率は大きいと予想されている。そこで、よく話題とされてきたのが「２０３０年問題」である。

この問題は、世代間での人口の偏りから予想される「社会システムの行き詰まり」を指していた。言い換えれば「少子高齢化問題」である。

具体的には、超高齢社会における介護・医療システムや社会保障制度の機能不全、そして人口減少による経済成長の鈍化が懸念されてきた。

若者が減り、高齢者が増えるため、医療・介護ニーズが増える一方、サービスの提供を担う人手が足りなくなる。また、「生産年齢人口」とされる15～64歳が減り、労働力が不足することから、経済成長が鈍ってしまう。その結果、国が年金や医療費の負担に耐えられなくなると言われてきた。

だが2030年、日本は繁栄している。あるいは、その処方箋が示されている。2030年問題は人が頭を使うのをやめないならば、解決する。

問題を解決するのはイノベーション（技術革新）だ。

そもそも「2030年問題」はなぜ出てきたのか？

——子供の出生率が上がらない一方で、平均寿命は延びるから。

そう答える人も多いだろうが、それは違う。

少子高齢化とは目の前の事実に過ぎない。問題が生じるのは、国民全体が古い考え方に囚われているからなのだ。

例えば現在の我が国の社会保障制度は、若い世代が働いて納める保険料で、互助的に年金や医療費をまかなっている。

受益者は主に高齢者だ。若い世代に負担を強いる仕組みになっているが、「若者もいずれ年を取るのだからお互い様」という理屈でごまかしている。

しかし、ご存じのとおり、我が国では世界の先陣を切って高齢化が進んでいるのだ。制度が疲弊しており、抜本的に改めるべきだという考え方もある。議論は大いにしていけばよいと思う。

一方で、イノベーションによって解決に導ける要素も、多々ある。

例えば２０３０年までには、先進各国でＡＩを活用した「ロボット開発競争」が激化している。欧米でも移民受け入れ政策が転換していき、労働力は、工業的にロボットを生産して生み出す時代になっている。その進捗は各国で違うが、少なくとも日本ではロボットに対する違和感が少ない。

サイバー空間に現れる勢力

２０３０年代とは、ＩｏＴ技術がさらに上の段階へ飛躍し、政治・経済がブロック化した世界で、両ブロック陣営が宇宙開発、ロボット開発の競争を繰り広げている世の中だ。

その世界にあって、もう１つ、社会を大きく変えるシステムが出現する。

サイバーネーション（サイバー国家）である。

ここで言うサイバーネーションとは、国の土地、いわゆる「領土」を持たない電脳空間上の国家体制を指す。

例えば「東京都」「大阪府」という組織は、その占める土地が日本の国土にある。したがって、自治権を持つとはいえ、日本という国家に属する。

では、《サイバー東京》や《デジタル大阪都》はどうか？

もし、これらのバーチャル自治体が、厳密に日本国の行政機能の一部なら、《サイバー東京》が国外に住む外国人を大量にメンバーとして受け入れたり、《デジタル大阪都》が国の行政区画と異なる「都」を名乗ったりすることは許されるのだろうか？

まだこの時点では、バーチャル自治体は、国土の中に実体を持つ都や府による、一種の広報活動的なもの、「仮想の場」と見なされ、厳格な規制を受けてはいない。

だが、もしもバーチャル自治体が、国の支配・強制力が及ぶ「土地」を離れ、電脳空間（サイバースペース）から主権を主張し始めたら、どんなことが起こるだろうか。

日本国政府は、それを国家への「反逆」と見なして、禁止や規制、ないしは撲滅を検討せざるを得なくなるのではないか。

これを裏返せば、サイバー国家とはいかなるものかがイメージできるだろう。土地を持たないある組織が、「国家」を名乗り、サイバースペースでその行政システムを運営することができれば、そこにバーチャル国家が誕生するのだ。

だが、既存の大国がそうした国家の存在を容認し、そのまま国際社会に受け入れるかどうかは、また別の問題である。

先行して生まれていたサイバー国家

実は、２０２０年以前から「サイバー政府」を持つ国は実在している。

例えばリベルランド自由共和国。

２０１５年４月、バルカン半島北部のセルビア、クロアチア国境地帯に忽然と現れた独立国家である。

初代大統領として独立を宣言したのは、チェコの地方議員だったヴィト・イエドリッチュカ。国名からもうかがえるように、母国の経済政策を嫌った彼が、理想とする「自由」の実現のために建国した国である。

「無税」を標榜するこの国に、2019年10月時点の情報では、海外から10万人単位（15〜50万人）の市民権申請が寄せられているという。

リベルランドは、独自の仮想通貨の発行を計画し、将来的に3万5000人の市民から成る共同体を目指すとしている。そして、狭いながらも、大統領その人が探し当てた7平方キロの国土（同国の建国以前「無主地」だった）を有している。

市民権を持つ者がその土地に住むことを前提としない、「サイバー国家の嚆矢《こうし》」と評してよいだろう。

先進的なサイバー政府を持つ国

より広く知られているのは、バルト海沿岸にある北欧の小国、エストニアのサイバー政府だ。

「バルト三国」という呼び方を聞いたことがあるだろう。バルト海を挟んでフィンランドと向き合っているのが、エストニア、ラトビア、リトアニアのバルト三国である。

旧ソ連に属していたこの３カ国は、東でロシア領に接している。そのうち最も北にあるエストニアが、昔から「サイバー政府」の国として知られていたのだ。

エストニアでは、政府運営の効率化を主目的として、行政機能のデジタル化が著しく進んだ。選挙や納税は当たり前のように電子情報で行なわれ、不正を予防するための仕組みも発達させていた。

現存する国家として最先端の「バーチャル国家運営システム」である。

そして、２０２０年代には、このエストニアの「Ｅガバメント」をモデルとして建国されたサイバー国家が誕生。やがて国際政治の舞台に登場するのだ。

あまり知られていないが、エストニアはＩＴ産業が盛んであり、首都タリンは「スカイプの開発された都市」でもある。

そのタリンの旧市街は世界遺産となっており、風光明媚な観光都市としての顔も持つ。

歴史的には、16世紀に大スウェーデン（バルト帝国）領のエストニア公国となる５００

年ほど前から、北辺の要塞都市として発展した街だ。13世紀以降は、デンマークやドイツ騎士団の軍事拠点とされ、またロシア最古の都市ノヴゴロドと西欧を結ぶ中継貿易基地となっていた。

このＩＴ都市には、さまざまな人種が住んでいる。50万人弱の人口のうち、全体の５割以上はエストニア人だが、ロシア人も３割以上暮らしている。次いでウクライナ人、ベラルーシ人、さらに現在の経済的結びつきが最も強いフィンランド人、歴史的関係の深いドイツ人など。ＥＵ域内で、最もＥＵ域外の国籍を持つ住民が多いのも特徴だ。

そのエストニアの統治機構、すなわちサイバー政府は、国民投票による直接民主制に適しており、経済的な運営効率も極めて高いことから、先進的な統治機構として一部の人々に注目されていた。

だが一方で、タリンは、既存の大国やクラッカー集団から、常時サイバー攻撃を仕掛けられてもいた。

既存の大国にとってサイバー国家とは？

もう一度考えてみよう。

もし、日本のある県の知事が「我が県でサイバー国家を建国しよう」と声を上げ、それに多数の県民が賛同したとしよう。ネット上で国民登録をし、リアルな土地の上にある県とは別に、サイバースペースに「別の国」が出来上がる。

国であるから（リベルランドのような例外を除き）税金は徴収する。だが、リアルな国家ほど運営経費がかからないので、税金は格安になる。また、通貨を独自に発行し、その通貨で税金を集めることになるだろう。

また、知事が近隣の2つのリアル国家と交渉し、サイバー上の新国家を「国」として認めてもらえば、サイバーネーションが国家としての地位を現実的に確立する（近隣2カ国の承認は、厳密な国家成立の要件ではないが、国際社会に存在を認めさせる現実的効力を持つ）。

果たして、日本国内の空港からその「サイバー上の新国家に属する県民」が出国する際に、新サイバー国家が発行したパスポートを使って飛行機に乗るということも起こり得る話になる。

さらには、サイバー国家が複数成立し、互いが国家承認し合うようになれば、仮想空間上に次々と新国家が誕生することになるかもしれない。

そうなった場合、既存の国家は何か利益を得ることになるだろうか？

いや、国は既存の権益を守るためにサイバー国家を潰しにかかるに違いない。

エストニアのEガバメントを模してサイバースペース上に確固たる足掛かりを築き、国際政治の「表」舞台に踊り出そうとする勢力。

それは、国際機関を通じて大国が築き上げてきた利益構造の中で「自由」を失った人々が、その自由を求めるときに行き着く先だとも言える。

国際政治の「裏」舞台では、そうした勢力と既存国家によって、インテリジェンス同士の激しい闘いが続いていた。

目覚めた人々

大和光二がEアイランドのメンバーになって、わかったことがいろいろある。

その1つは、2020年に毀損《きそん》された外務省のデータから、そのわずかな片鱗を知ったのだ。

「サイバー国家」の正体だった。

当時の若手官僚の中に、サイバー国家の建国を支援し、連携しようとしていた集団がいたのだ。彼らは外務省だけでなく、省庁の枠組みを超えたところで、民間の研究者やエンジニアとつながっていた。

Eアイランドの中には、そのグループと交流があり、一連の動きを知っている者も複数いた。大和はその一人から話を聞き、尋ねたことがある。

「サイバー国家の建国を、官僚たちが支援する目的は何だったのですか？」

――友好国づくりだ。

「友好国……。どういう意味ですか？　我が国は国際協調を重視し、他国への援助も惜しまない。友好国には事欠いていなかったはず」

――そのとおりだ。だが国家とは、いかなる友好国でも同盟国でも、自国の利益を第一に考えるものだ。その意味で、真の友好国と言える国は、この国際社会にほとんど存在しないとも言える。

「それはわかります。しかし、サイバー国家とはいえ、やはり国は国。我が国にとって他国ではありませんか？」

――それもそのとおり。だが、サイバー国家の構成員は、それぞれが同時に、既存の国家の国民でもあるだろう？

「つまり……それは日本人だと？　友好国づくりとは、日本の別動隊をサイバー空間に創り出すということだったのですか？」

――君も感じていると思うが、この《日本国》という国の統治機構には、いささか「重し」が多すぎる。この国の政治家や、外務省・財務省などの官僚が、いつでも自分たちの国家意思を明確に発信できると思うかい？

「そうは、……思えません」

内幕を大和に語ってくれた男は、２０２０年の攻撃がどんなグループによるものかも知っていると感じた。大和より年長の男は、重くなった空気を和らげるように笑った。

――大和君、ＳＦ映画は好きかな？

「まあ、人並みには……」

――たしか20世紀末に「マトリックス」シリーズという映画があったねぇ？

「ええ、知っています。バーチャル世界に意識を閉じ込められた人類を、主人公が救おうとするＳＦアクションでしたね」

――そう、そこでだが、もし日本という国が、本来の世界ではないバーチャル世界に封じ込められていたとしたら、主人公はどうするだろうか？

新たな勢力の台頭

１９４５年、戦後の焼け跡が広がる日本に、ＵＮの進駐軍が上陸してきた。空から厚木飛行場（現・厚木海軍飛行場）に降り立ったのが、連合国軍最高司令官ダグラス・マッカーサーである。

そして２０２０年、日本の若手官僚たちの極秘の取り組みが、既存の大国によって葬り去られる。同時に、新コロナウイルス禍で活動を停めた経済はどん底に落ち込んだ。

直後に日本に赴任した駐日大使が、認知戦に長けたケネス・ワインスタイン氏だった。

大和は、当時の我が身を振り返りながら尋ねた。

「彼は、この日本を見張りに来たのでしょうか？」

——いや、そう単純ではないさ。日本のカウンター・インテリジェンスは、現に弱かった。母国の敵から日本をも適宜守る密命も、大使は帯びていたはずだ。

そう言われ、セキュリティのエキスパートである大和は、かつての自分の無力さに「ほぞを噛む」思いもした。

だがここ数年、日本でもＩｏＴの応用が急激に広がり、同時にシーパワー陣営の中心国として一方の大国に対峙している意識が定着していた。かつてはセキュリティの脆弱だった日本企業でも、システムに関する保守意識は目に見えて強まっていた。

そして、年上の男はこう付け加えた。

——彼らは、まだ動いている。もちろん、目に見えない仮想空間でね。

大和の脳裏に、妻の友人である宗像洋子《むなかたようこ》の顔が浮かんでいた。面識もなく顔も知らない彼女の夫・宗像圭祐《むなかたけいすけ》をなぜか思い浮かべたのである。

2020年、宗像を含む数カ国のエージェントが、大国間のコグニュティブ・ワーフィア（認知戦争）の犠牲となっていた。

宗像の死は、認知戦争における日本のもろさを露呈したが、同時に現代の戦争の中心がサイバー戦争であることを、官僚や大和ら技術者たちの脳裏にさらに焼き付けた。

そして今、新たなサイバー国家が生まれようとしていた。

それは、現存する国家の規模に照らしても、巨大な人口を抱える潜在的な大国だった。

南方系移民の新国家

舞台を2020年に戻そう。

エストニアの首都タリンで、既存国家やクラッカーたちが浴びせる連日の攻撃から、サイバー政府の防衛に当たっている集団があった。

彼らは国籍を超えたインテリジェンスの専門家集団であると同時に、ビジネスパーソンであり、一種の政治家でもあった。

そうした中、1月22日から25日にかけて、スイス東部の保養地ダボスで「世界経済フォーラム」が開催された。そう、ダボス会議である。

2500人以上からなる経済人、知識人、そして各国のトップリーダーが一堂に集い、直面する世界の重大なテーマについて議論する年次総会である。

この会議を、一部の人々は「陰謀論」的な視点で語ることが多い。だがそれは、ここで国際規模の議題が協議され、その合意により世界が大きく動くためだ。

国際規模の機密が、陰謀論を好む人々に「妄想」の格好の材料を提供しているわけである。実際に、この年のダボスでも、従来の歴史を大きく変える計画が、とある分科会で秘密裏に討議されていた。

支配層が利権を分け合う密議をこらしている陰では、同じホテルの一室に、次の時代を創ろうとする新たな頭脳も結集していた。

彼らは、連れ出され、血縁を断たれて世界に散っていった人々の末裔であり、自分たち《ダイアスポラ》を糾合する新たなサイバー国家を打ち立てようとしているメンバーだった。

世界には、歴史と文明を蹂躙され、虐げられた人々がいる。だが、それを行なった集団は自分たちの行為を忘却し、何事もなかったかのようにふるまっている。

しかし、財を奪われ、歴史を断たれ、尊厳を剥奪された民族の末裔が、そうたやすく自分たちの「ルーツ」を忘却の彼方へ捨て去るはずがない。

表面的には、既存の秩序の下で満足したように生きていても、長い年月にわたって自分たちの尊厳を取り戻すことを夢に見、力を蓄えているのだ。

そして、弱者はいつまでも弱者ではない。虎視眈々と準備を重ねて時を待ち、時が満ちれば、持てる知力と財力を振るってアイデンティティを取り戻しにいく。

歴史を重ね、大国のテクノロジーが自分たちにも充分に学びの果実を与えたとき、彼らは得意とする武器を手に取り、時を得て立ち上がるのである。

そこに「日本人」がいる理由

南方系ダイアスポラによるサイバー国家創設メンバーに、日本人も加わっていた。

彼らの中には、長引いた２０２０年の新コロナウイルス禍の中で、サイバー攻撃の標的となった組織に所属している者も複数いた。

なぜ彼らは、南方系のサイバー国家を支援していたのか。

それは、この疲弊した世界システムを、同じ地に集まっている「支配層」とは別の方法で変えようとしているからだ。

また、それが彼らの動機ではないが、日本も歴史を書き換えられた国の1つである。

そもそも我が国は、大陸から技術を学んだ亜流の文化圏ではない。世界最古の磨製石器を生み出した独自の文明圏である。

後の14世紀にマルコ・ポーロが「黄金の国」と世界に伝えたとき、実際に日本は世界一の金保有国でもあった。戦国時代には、伝来した鉄砲を、蓄積されていた技術と財力で即座に自製し、世界一の火器保有国となった。

欧州人にその軍事力を侮る理由はなく、天下を平らげた江戸幕府にも国を閉じる必要はなかった。正確に言えば、つきあう相手を自ら決めて、他国と交流したのである。それを、海外の研究者が「鎖国」と称した。

出島での交易を許されたオランダは、日本と独占契約を結び、持ち出した金・銀・銅を財源として覇権国スペインを打ち負かした。当時の日本は、世界有数の経済力と軍事力を誇る一大国だった。

徳川吉宗《とくがわよしむね》も、豊かな財貨をもって広く情報を集め、世界の事情に通じていた。海外で革命が起きた際に、その情報を当事国の外交官以上に早く入手していたと伝わっている。

そうした日本のパワーは、いわゆる開国後に欧米列強に焚きつけられ、重なった対外戦争の費用を借りることで削がれていったが、それにとどめを刺したのが第2次大戦、当時の日本人が称した大東亜戦争における敗戦ということになる。

だが、南方系の民は忘れていない。

第1次大戦後、1919年の国際連盟委員会において、「人種差別撤廃」を主張したのが、ほかならぬ日本だったことを。それは、国際会議の席における、世界史上初めての人種平等の主張であった。

一国家としては不本意な面も多い近・現代の歩みではあったが、本質的に忍耐強く、平和的な日本という国の存在は、類似した歴史を共有する虐げられた国や人々の光であったし、現在も隠然たる信任を得ているのである。

南方系サイバー国家の民が、ごく自然に日本の技術者たちを受け入れた理由の一端は、その辺りにもあるのかもしれない。

荒れない国連――支配国の奇妙な協調

２０３０年を前にして、サイバー国家《サイバーネーション》は国際政治の舞台に登場していた。

そして、国連への加盟を申請するサイバー国家も出現した。

領土を持たないサイバーネーションに、全世界の国々から膨大な希望者が集っていた。

そして、このサイバーネーションの立ち上げに深くかかわったエストニアを皮切りに、北欧の数カ国が、この組織を国家として「承認」していた。

サイバー空間に台頭した「南方系人による、彼らのための、彼らの国家」は、20世紀に大国が造り上げた窮屈な国際秩序、すなわち「利益構造」の中で自由を失っていた人々のパワーの爆発先とも言える。当然の帰結だった。

南方系サイバーネーションには、億を数える民がいる。そして、領域はサイバー空間であるが、誰もがアクセスできる行政システムを有し、ネット上の直接選挙で代表者を選出していた。そして、自らを承認した各国と国交を樹立し、さまざまな条約を結んでパスポートや独自通貨も発行していた。

では、国連の加盟はかなうか？

国連は表向き、国家の要件を満たすすべての国に門戸を開いている。だが、ご存じのとおり、台湾をはじめとする幾つかの国家が加盟を拒否されていた。

その可否は、旧態依然たる安全保障理事会が握っているのだ。

安保理事会を構成する理事国は15カ国だ。だがそのうち５カ国のみの常任理事国が、絶大な特権を持っている。その１国でも「拒否権」を行使すれば、安保理事会の議決は成立しない。申請国の加盟も、総会に勧告できないのだ。

新コロナウイルス・ピリオドを経て、国連や国際機関の信用は地に落ちていた。国際問題を調整する影響力も失い、機能不全は顕著となっていた。

だが、それに代わる国際機関はまだない。国連は、シーパワーとランドパワーがせめぎ合う２０３０年も、依然として国際社会の総意まとめ役機関とされた。

常任理事国の米英は、常に国際世論工作に働きかけ、拒否権の発動を連発していた。一部では味方を増やす意味で、憲章の「敵国条項」を見直し、常任理事国に日本を迎えたらどうだという意見もある。だが、同時にランドパワー国ドイツを常任理事に招くことにもなる。

国連内部は常に揺らいでいた。

しかし、南方系サイバー国家の国連加盟問題では、その理事会が奇妙な結束を見せた。

「サイバー国家は、モンテビデオ条約が国家の要件としている《明確な領域》を持たない」。それが加盟を拒否する理由だった。加盟を支持したのは、非常任理事国スウェーデン1カ国に過ぎなかった。

乱立するバーチャル自治体とサイバー国家

そもそもサイバー国家の前段階となる「サイバー行政」が世界的な広がりを見せたのも、

２０２０年の新コロナウイルス禍がきっかけだった。

感染抑止のため、人々が外出を控えている期間に選挙が行われた地域では、投票所の入場制限をかける一方、投票所に有権者が集まるリスクを避けるため、事前投票、不在者投票が推奨された。

外出規制がいつまで続くのか先が読めない中で、デジタル投票（Ｅエレクション）の仕組みを整備する自治体などが増え、その延長上で、ポストコロナの時代には、ネット投票が比較的普通の選挙方法になっている。

サイバー行政（Ｅガバメント）が一気に身近になったのも、当初は役所の窓口にできる行列を避けるのが目的だった。

２０２０年の秋には、米国大統領選でドナルド・トランプが再選を果たした。すでに外出規制は解かれていたが、あらかじめ準備されていた「デジタル投票」の仕組みも活用された。

バーチャル自治体やサイバー国家は、そうした時代の趨勢の中で、後々自然発生的に勃興した側面もあったのかもしれない。

既に述べたように、Ｅガバメントの運営はリーズナブルで効率がよく、生活保障などの提供もスピーディーに行えるなどのメリットがある。

日本でも、ポストコロナの時代には、遅れていたマイナンバーと行政サービスの紐づけが進み、地方自治体がサイバー行政機能の充実を競うようになっていった。

「君は、どこのシチズン・パス（市民ＩＤ）を持ってる?」

このような会話を、２０２０年代には耳にするようになる。尋ねているのは、どこのバーチャル自治体に参加しているかということである。

シチズン・パスは、バーチャル自治体が参加しているメンバー（住民）に交付しているＩＤで、自治体によってはデジタル・デバイスの形で供給されることもある。

世界を見渡すと、サイバー行政を敷く地方政府の増加とともに、新たなサイバー国家も続々と立ち上げられていた。大国《南方系サイバーネーション》を筆頭に、国連加盟国の数倍に及ぶ数の国家がサイバー空間にひしめいていた。

中でも特異なのは、中共域内の多くの地方行政府が、独自にサイバー政府を立ち上げたことだ。そして北京は、この動きを黙認している。

これを見て、「党中央の権力弱体化、中共解体の始まりか」と分析するウォッチャーも当初は多かった。だが、事はさように単純ではない。

まずこの動きには、対米通商戦争や新コロナウイルス騒動が打ち続く過程で、不満の高まった人民のガス抜きを図る意味もあった。さらには、党中央と軍部の勢力争いも絡んでいる。

改革開放で経済活動の自由を与えても言論の自由は封じたように、サイバー政府の議員選挙を認めて「1地区2制度」としたうえで、その権限は行政サービスの提供にとどまっていた。

電脳版・民族自決——サイバーウイグル

当然ながら、国連がサイバー国家を正式な国家として認め、加盟を認めることはない。

そして大国は、水面下で新たなデジタル国家の誕生や勢力伸長を牽制し、極力その芽を摘んでいた。

その一方で、互いにサイバー国家を利用して相手の勢力を削ぐ暗闘を繰り広げている点も変わらなかった。

既存の国家は、自国の別動隊のようなサイバーネーションを建国し、国際世論に影響を及ぼそうとするようにもなっていた。サイバーネーション間の戦争も常態化している。

先ほど述べた中共域内の「サイバー省政府」も、シーパワー側の工作の対象となり、ある程度、他国の影響が及んでいることは周知の事実だった。手慣れた北京や上海側の警戒は怠りなかった。

ところが2030年、南方系サイバーネーションに次いで、国際社会を揺るがす新勢力が登場した。

電脳国家《サイバーウイグル》である。

イスラム教を国教とし、電脳空間でのウイグル人の結束を呼び掛けるこのサイバーネーションは、米国に拠点（サーバー）を置いていた。米国人をはじめ、賛同する世界のネット民がサイバーウイグルに身を投じ、「ウイグル民族の自治」や「新たなウイグル自治区の設置」を決議、世界に発信した。

そんな中、新興のサイバー国家として急速に勢力を伸ばしていた《ドリーミング・アメリカ》が、南方系サイバーネーションとともに、「サイバーウイグルを承認する」との声明を発した。

当然、中共は猛反発し、サイバーウイグルの拠点国である米国を非難する。米国政府は自国民の建国したドリーミング・アメリカとの良好な関係は認めた。だが当然ながら、サイバーウイグルへの関与は全面否定し、サイバー諸国家への「内政不干渉」という方針を表明したのだった。

この頃には、他の国や地域でも、関係国の承認・非承認にかかわらず、さまざまな主義主張を掲げるデジタル国家が樹立され、サイバー空間はさながら「国際政党」が乱立したかのような様相を呈し始めていた。

戦うサイバー国家「YAMATO（やまと）」

ドリーミング・アメリカと米国政府のように、サイバー国家は基本的に、既存国家との直接的な関わりを公にはしない。

だが、サイバー国家の主張や行動をトレースしていけば、比較的容易に、既存国家との連携はあぶり出すことができる。

そのような傾向を持つサイバー国家として、日本には《サイバーやまと》を名乗る勢力が誕生し、一定の支持を集めていた。

リアルな国家の動きと連動し、側面支援するサイバー国家は1つとは限らない。穏健な国家も過激な国家も存在した。もちろん、世界には自国政府に批判的なサイバー国民も多数存在し、その程度によっては関係機関によって追討・殲滅されていた。

《サイバーやまと》は、日本政府を支持するサイバー国家の中でも際立った存在だ。他の同様のサイバー国家や、他国の傀儡《かいらい》国民とは、かなり趣の異なるふるまいに特徴があった。

日本政府が一貫してシーパワーの盟主・米国の顔色をうかがい、その決定への追随を専らとする中、サイバーやまとは日米両政府の方針や、ドリーミング・アメリカの声明に対し、公然と異を唱えることがあった。政界の中でも、国粋主義的思想の色合いが濃い実力者を後ろ盾としていたのである。

例えば、日本に対して友好的な中東の国家が、些細な軍備の増強を「国際合意違反」として、国連から厳しい制裁を受けることがあった。その際、「正義にもとる」として日米両国の対応を非難したのがサイバーやまとであった。

またやまとは戦闘的な集団でもあり、日本国の領空・領海がランドパワー側の戦闘機や艦船に侵犯されると、しばしば、かつ公然と相手国や関連ネーションに猛烈なサイバー攻撃を敢行し、その戦果を発表していた。

「サイバーやまと」の悲劇

やまとの存在は目立ち、その動きが報道されることも多かった。

そうしたニュースの1つに触れた大和陽子は、不安を感じ、「やり過ぎになってないのかしらね?」宗像洋子と語り合ったことがある。

夫の光二も、しばしば「あれじゃ潰される。サイバー国家の分を越えている」と話していた。

舭は中学生に、那由多《なゆた》は小学校高学年になっていた。

兄弟は、この年頃の少年の常で、友人たちと「サイバーやまと」の戦いに酔い、その強さを話題にし合っていた。

「おい！　また、やまとが中共南洋管区の機動艦隊を行動不能にしたぞ」

「すげえな。第7艦隊にも勝てるんじゃない、やまとなら？」

彼らの想像の中で、サイバー国家やまとは、深海に潜む最新鋭潜水艦のようなものになっていた。実際、広大な電脳空間に潜み漂うサイバー国家のイメージは、潜水艦に似ていなくもない。

そんな中、遂にやまとに悲劇の時がやってきた。

日米通商交渉の席で、米国商務相が日本の誇る先端技術の提供を迫ってきたのだ。

主にＳＣＭが蓄積しているＩｏＴの研究成果を日米で共有しようというのだ。Ｅアイランドと ＳＣＭは、もとより対米技術提供を一切拒否しているわけではない。米国製戦闘機を日本が高額の対価で購入するように、米企業も機密協定を結び、相応の対価を支払えばよい。

ところが、シリコンバレーとウォール街は米政府を動かし、安価で先端技術を手に入れようと画策したのだ。

その日、大和光二はＥアイランド内に詰めて日米交渉の経過を見守っていた。いざという時のサイバー攻撃に備えて、システムの監視に当たる意味もあった。

交渉が長引く中、サイバーやまとから声明が発信された。

――米国政財界の連中は卑怯者である。

その報に接した大和とスタッフは、思わず叫んでいた。

「まずい、やめろ！」

「何かあっても、この島は大丈夫なんだ。出しゃばるな……」

サイバー国家やまとは、たびたび米国を非難することがあっても、サイバー攻撃などを米国側に仕掛けたことはない。それが「ボーダーライン」であってほしい。

だが、その翌日から、サイバーやまとの存在が消えた。ネット上にその影を浮かべることがなくなったのだ。

米国の姿勢に対するやまとからの攻撃も、同時に報道されなくなった。

鯱と那由多も、子供ながらに気をもんでいた。

「やまと、沈んだのかな」

「うまく逃げ切っているといいんだけどね」

やはり潜水艦の姿をイメージして、そう語り合った。

夕刻のニュースで、日本の首相が声明を読み上げた。

――我が国の友邦であるサイバーネーション《サイバーやまと》についてですが、ランドパワー陣営のいずれかの国に関係するサイバー国家と交戦し、機能停止に陥っているようであります。日本政府としましては、今後の動向に注視し……


この「サイバーやまと事件」を経て、米国は自らが主導する形で、シーパワー陣営に由来するデジタル国家の糾合に動き出した。

《サイバー空間における友邦の防衛に関する協定》が取り交わされ、日本の首相を含む陣営の首脳が、互いに力強く握手を交わす姿とともに世界に配信された。

第3章

物質を産みだす人類／2040年——振動の制御

資源とは限りあるものなのか？

歴史が記されるはるか前から、人類は、部族や民族、国家に分かれて土地を奪い合ってきた。英雄とは、他のグループを排除して限られた資源や産物を囲い込み、自分の仲間たちを繁栄させる者を意味した。

やがて、欧州に住んでいた白い人種の一団が、海を渡り、その先々に新たな土地を見つけては囲い込んでいくようになる。

15世紀に始まる「大航海時代」以来のことだ。

だが、その海の「こちら側」には先に住み着き、暮らしている者たちもいた。初めにその土地を見つけたのは、征服者たちではない。それでも、相対的に力ある者が、常に英雄になるのだ。

21世紀の今も、そうした人間のあり方が大きく変わったと言うことはできまい。現代社会で「成功者」と呼ばれる少数の支配層も、資源や富を独占し、多くの人々を自らの都合に合わせて動かす術を知っている。

だが、そうした形での人類の「分断」は、徐々に意味を持たなくなり、いずれ解消していくだろう。

そもそもの争いの種は、土地や資源が人間にとって「限られたもの」だと思われていることだ。それは真実なのだろうか？

人類が共に生きていくために必要なものは、初めから与えられているのではないか？

そう、人類が誕生した時から。

21世紀に生きる人間は、そのことに早く気づくべきである。

恵みの海

例えば海である。

「母なる海」と言う。

それは、我々人類に食料となる海産物をはじめ、豊富な資源を与えてくれるからなのか？

もちろん海はそうした恵みも与えてくれる。

だが、それ以前に忘れていけないのは、海が生物を誕生させ、育んだことだ。ヒトも体重の6～7割が水分。細胞が水を介して代謝するからだ。

水がなければ我々は生きていけない。水なき星に、おそらく生物は誕生しない。

そして、水生生物は言うまでもなく、地上の生き物も常にわだつみの恵みを受けている。海の水は、水蒸気となって空に昇り、雲をつくり、雨を降らす。その雨が植物を育て、動物ののどを潤すのだ。大いなる循環である。

我々は、命を育んでくれるこうしたシステムを見習わなければならない。

その模範は、すでに我々の祖先が示している。

原日本人は、3万8000年前から集落を営んでこの土地に住んでいた。寒冷期で海面が低かったこともあり、南方や北方から渡ってくる集団も多かった。だが、暮らしやすい土地だったため、ほとんど争うことなく融和していったと考えられている。

そして彼らは、海に囲まれた大八島《おおやしま》に生きる中で、自然の恵みに感謝し、崇める態度を身につけた。山も川も、自然はすべて神とされたが、とりわけ太陽と海を崇めた。

後世（と言っても古代のことであるが）、太陽を最高神アマテラスとし、海をその弟が治めるところと見なした。

光と熱のエネルギーをもたらす太陽が、海から巡り巡って恵みの雨を降らせることも、祖先たちは、海に帰っていく川の流れから知っていたに違いない。

また、海の神スサノオは荒ぶる神でもある。時に恐ろしい災害をもたらす海の力を、そこに見ていたのだろう。

人類史の主役だった略奪者たちにとっては、海は新世界へ向かう際に踏破すべき障壁であり、獲得した土地への航路でしかなかったかもしれない。

だが、深海や海底にまでアプローチできるようになった現代、目の前の海洋そのものの中に、広大なフロンティアが広がっていると言える。

海洋大国・日本

ありがたいことに、我が国に属する海は思いのほか広い。

我々《20世紀少年》が学校で教えられた地理によれば、日本は「資源に乏しい狭い国」

ということだった。

だが、ありのままに日本を見つめ直してみよう。

我が国の国土は、総面積約38万平方キロ。これは世界の国々の中で61番目である。

ところが、海に目を向けるとその様相が一変する。領海を含むEEZ（排他的経済水域）が、国土の12倍近い約447万平方キロにも及ぶのだ。

ちなみに、このEEZの面積は米国、豪州、インドネシア、ニュージーランド、カナダに次ぐ世界第6位である。

しかも、その海に眠る海底資源が豊かで、天然ガスの原料となる良質なメタンハイドレードを筆頭に、海底油田やレアメタルの鉱床が無尽蔵に横たわっているのだ。

EEZの資源については、当該国に主権的な管理権が認められる。日本は、単に島国であるがゆえに「シーパワー」なのではない。資源に恵まれた広大な海を擁する我が国は、その開発を推し進めて世界に貢献するようになるだろう。

それが、シーパワー陣営の屋台骨となる大国・日本の将来像なのである。

とはいえ懸案もある。尖閣《せんかく》諸島の石油や南鳥島《みなみとりしま》のレアメタルを巡っては、政治的対立が続く「ランドパワー」から、しきりに領有権争いを仕掛けられてもいる。

生涯現役が当たり前に

航《こう》は23歳になり、２０４０年の社会では珍しくない「飛び級」で大学院の博士課程に進んでいた。

彼の研究テーマは、量子物理学と生物工学。日本で実用化が進む「物質波共振による農漁業の生産性向上」をメイン研究テーマにしていた。

大学に残るか就職するか、最近迷っている航は、この日、父親の光二《こうじ》が勤めるＥアイランドで、海洋資源開発の研究者に会っていた。

父が取り持ってくれた50代の研究者は、チームメンバーの年長研究員も紹介してくれた。

――こちらは、海洋生物が専門の魚住《うおずみ》研究員です。私は鉱物が専門なので、来てもらいました。

――魚住です。大和《やまと》航さんは、養殖魚に利用可能な技術を研究していると伺いましたが…。

「はい。魚だけには限りませんが、生き物にとって良好な成育環境を、物質振動から研究しています」

——ほお…。物質振動ですか。

航は、学生のように緊張しながら応えた。魚住研究員は博士号を持ち、年齢は90歳代。20年前なら、引退しておかしくない年齢だった。

この時代、研究者だけでなく全体的に「生涯現役」就労希望が増え、彼らの知識と経験を利用したい企業側の体制も徐々に拡充されつつあった。

この頃、平均寿命が100歳に達し、80代以前に腰が曲がったり白髪になったりするほうが珍しい時代だった。若い65歳ぐらいでの引退は「変わり者」という時代になっていた。

2040年、日本の人口はおよそ1億1000万人。20年前の1億2000万人から約1000万人減少し、生産年齢人口とされてきた15～64歳は、多く見積もって6000万人程度と予測されている。

だが、この間に進展したロボットの各分野への進出と、就労可能高齢者の増加によって、かつて予想された労働人口の縮減の弊害は予想ほど顕著ではなかった。

育てるか、産みだすか

ベテラン研究者のオープンマインドな言葉に触れ、舦は、その日の夜、弟の那由多《なゆた》とアマネに自分の進路について話したくなった。

同じ感動を共有したい思いと、二人の意見を聞きたいと思ったからだ。

那由多とアマネは、20歳。

那由多は電子工学部で超電導を研究し、アマネは医学部で免疫学を学んでいた。

兄妹弟《きょうだい》のように育った3人は、異なる進路を選びながら、互いに刺激を与え合っていた。

父を尊敬し、電気分野を究めたい那由多は、将来はＳＣＭ《エスシーエム》の企業で超電導技術の応用分野を仕事にしようと考えていた。

弟とは要領がよいもので、進路にも兄のような迷いはなさそうだった。恋愛もそうで、兄の舦には思い悩む傾向があったが、那由多はほとんど悩まなさそうだった。

身近な存在だったアマネを、いつしか自分の恋人だと早々に決めていた。

アマネはというと、兄弟二人に対し異性と言うより妹か姉のような気持ちを抱いていた。

航がボランティア活動に目覚め、那由多がクリスチャンになったのも、彼女の影響だった。彼女が早々に医学を志した動機は、外交官だった父を異国の地で早くに亡くしたことが、影響していた。病で寿命を縮める人を一人でも減らしたいと願ったからだ。

航から今日逢った研究者の話を聞き終えると、那由多が言った。

「たしかにすごいと思うよ。でもさ、物質波は、生き物に使うのと、物質自体を創り出すのとあるよね。父さんの会社では、物質を創るほうの研究もしてるって言ってなかった？」

「ああ。たしかに聞いたことがあるな」

「それなら、育てるより創るほうがもっとすごいと、僕は思うな」

弟の意見に航が考え込むと、アマネが言う。

「でも、実際に空間から栄養や食物が創れるようになるまで、あと何年かかるの？」

「ああそうか、なるほどね」と那由多。彼女の意見には素直だ。

「じゃあ、兄さんさ。僕が物質波から食べ物を創る日まで、食料の増産を研究してよ」

「ちょっと那由…。その言い草はないでしょ」

「えっそっか？　あ、そうだね（笑）」

鯱は弟たちと会話を心から楽しんだ。今夜は、珍しく少し酔っていた。

そしてその晩、彼は院に残って研究者になる決心をした。実務肌の弟に対し、やはり自分は研究肌が向いていると感じたからだ。

変わらぬ「水争い」

海は満々と、水をたたえている。

海水は有限だが、様態を変え「水」が循環することで無尽を具現化している。

この水を巡っても人類は争ってきた。

海水は、耕作や飲用に適さない。現代においては淡水化技術も確立してきたとはいえ、真水にするためには処理に多大なエネルギーを必要とする。

21世紀以前の技術では「何もないところから水を創る」ことなど到底できなかった。

この物語の時代にも、競って宇宙開発を加速させている大国は、進出先の惑星上でも水資源確保の争いを続けている。

地上に目を向けても、それは同じだ。良質な水源を持つ者は利権とし、対極の「生活用水にも事欠く人々」との間で、著しい格差が広がっていた。

その中で、日本列島は「水」に恵まれた国土であるはずだった。

だが２０４０年頃、日本の水道利権の上位を握るのはヨーロッパ系の水メジャーである。


新コロナウイルス禍が起こるよりも前に、まさに水面下で進んだ出来事があった。

表立って報道されたのは、自動車会社会長の逃亡事件である。会社法違反で起訴され、保釈中の身だった彼は、極秘裏にプライベートジェットを使って日本を出国し、中東の一国へと逃れていった。

「日本司法の大失態」と大々的に報道されたこの事件の陰で、実は利権が動いていた。日本政府が、某ヨーロッパ系企業に水道事業の一部を売却していたのである。

社会的地位もある人物が、自らのあずかり知らぬところでスケープゴートとされ、何らかの取引の隠れ蓑にされるようなことは世にままある。


このときの水利権の譲渡は、今の時代、大きな安全保障上の懸案となっている。日本の水資源が、外資、それも「ランドパワー」側に属する国の資本に握られることになるからだ。

戦略的に見て、水源を敵対勢力に握られている状況は、致命的だ。相手の思惑しだいで、水の供給を絶たれたり、水源で化学テロを起こされたりしたら、その影響は計り知れない。

水を創れ！

息子たちが成人したこの年、大和光二は50代に入っていた。Ｅアイランド本丸の保守を後進のエンジニアに任せて、自分はＳＣＭなど、島の技術を事業化している企業のシステム開発やメンテナンスチームの指導に廻る仕事が増えていた。

２０３０年代後半、全国に大規模地下農場の展開が進む国土に、点々と「水創出プラント」が実験的に建設されるようになっていた。最近、大和は建設中のプラントの１つに出向き、現場のエンジニアたちとの調整役を任されていた。

Ｅアイランドの制御システムの構築に携わった大和は、多種類の技術チームの同期の難しさを熟知していた。水創出プラントについても基礎知識程度は持っていた。だが、現物を間近に見るのは、この現場が初めてだった。

水創出プラントのイメージ

ある日、メイン・プラントを運営する企業チームの幹部の一人が、大和を会議室から連れ出し、施設内を案内してくれた。広々とした清潔感のある工場施設内に、模型では見慣れた「水創生ユニット」が、数百基ほど、整然と配置されていた。

「これは素晴らしい！」感嘆する大和に、幹部社員は、

「稼働すれば、1日に合計1万リットルの水が生み出せることになります」と誇った。

その量は、清涼飲料水メーカーの中規模工場程度の生産量に匹敵するそうだ。

「これだけの施設でですか。大したものだ……」

案内役の社員が、謙遜してこう説明してく

れた。

「いいえ、まだまだです。大都市の一日使用量はおよそ430万立方メートル。とても足りません。とはいえ、この施設には、国と自治体が合わせて50％弱出資しています。うちの会社だけでは、ここまで思い切った投資はできなかったと思います」

政府与党は最近、水プラント整備を、大規模地下農場に続く「国策」事業として公費を充てて推進しようとしていた。その裏でどのような政治的思惑が動いているのかは大和には知る由もなかったが、すくなくとも現時点で世界に誇る「真水の安定供給技術」は、将来的に日本の「輸出物資」として「水」が位置を占める可能性があるとも聞いていた。

——この事業がうまく軌道に乗っていけば、大国の「水支配」にも待ったをかけられるのではないか？

そう思ったとき、胸の中で点った光が、大きな灯りとなって、光二の心を包んでいった。

ヨタヘルツジェネレーター

水創出ユニットは、Eアイランドで完成されたある基幹技術を応用した生産設備である。その技術は、超電導構造体を用いて作られる「ヨタヘルツジェネレーター（Yotta-hertz-generator）」からなっていた。

簡単に説明しよう。

超電導素材の円盤状の電極を2枚、間隙を空けて配置する。その上下から電磁力をかけ、円盤の間に電気的回転場を作り出す。

そのようにして、回路内に1秒間に10の24乗倍の高周波の渦（振動）を起こすと、そこに存在する「まだ物質サイズ以下の粒子」に運動エネルギーが加励され、粒子（定在波《ていざいは》）として実体化するのだ。

物理空間に、無から有が生まれるようなこの現象によく似た現象が、宇宙空間で宇宙飛行士が体験する『現象』である。宇宙飛行士は宇宙遊泳のあと、宇宙船へ戻り「ヘルメット」を脱ぐ。このとき、ある芳香を嗅ぐという。

それは「ラズベリー」に似た香りだったそうだ。大気の薄い宇宙空間では、空間を占める物質以前の準物質（暗黒物質）が大量に存在し、人間や地上の物質など帯電した物体が、純物質に電荷を与えると、それらはポップコーンが弾けるように、「電子軌道」を手に入れて空間に突然現れる。この例がガス化した物質（ここではラズベリーの匂い）なのである。

これを地上で各種物質の固定化として実現しようとした技術が「ヨタヘルツジェネレーター」なのである。

常識的には数年前まで誰も予想しなかった現象だが、超電導材の普及とヨタヘルツの実現で初めて可能となった国産技術である。

そうしてできる水は、水蒸気になる以前のガス状の粒子だが、それが発生した粒子が膨脹する圧力に押され、上下の電磁石で円周状に加速されて、2枚の電極の間から連続的に湧き出してくる。

円周上にブロアーのような出口を設けておけば、ガス状の粒子が集合して水蒸気となり、あとはダクトで水蒸気を誘導して熱を逃がしタンクに備蓄していくのである。

振動は、光や電波、重力波、あるいは音などの波（実態は渦）として宇宙に遍満《へんまん》している。それらの振動は、周波数によって性質を変える。

光が、波長を持つ光線であるとともに、光子という粒でもあることはご存じのとおりだ。この光子や、電子を含むレプトン、クォークなどが、無限に振動を続ける「素粒子《そりゅうし》」と呼ばれる。

かつて「物質の最小単位」とされていたのは、人工元素を含めて118種見つかっている原子だが、その原子を構成する陽子・中性子もまたレプトンとクォークの集合体である。

2030年代以降には、超電導素材を応用し、高周波の振動を発振する装置が生み出され、それにより物質波から元素を創る技術が発達し始めたのである。

水創生の延長には、大気や有機物の創出が待っている。いずれは、ビタミン、アミノ酸、酵素などの有用な高分子物質なども技術が進めば「取り出せる」ようになっていくだろう。

命を育む振動

ごく簡単にではあるが、エネルギーを物質化する技術の話をした。

では、エネルギーとは何か。それは「振動」である。

宇宙は開闢《かいびゃく》以来、振動というエネルギーに満ちている。それがすべての事象の源だ。

振動は、さまざまな「波」となって伝わり、影響を及ぼし合う。物質を成り立たせている振動を「物質波《ぶっしつは》」と言う。1929年に物質波の提唱でフランスのドブロイ教授がノーベル物理学賞を受賞している。

あらゆる物質はそれぞれ固有の物質波周波数を持っている。つまり、特定の物質を成り立たせる周波数がある。

多様な物質波が、さまざまな物質を個別化し、宇宙を豊かなものにした。その中でさまざまな振動（エネルギー）が作用し合って、天体をも形成していったと考える。

天体上で、さまざまな振動が作用し、多様な無機物、そして有機物が生み出された。

私自身は「振動＝生命」と見なしているが、有機物の存在は、いわゆる「生命の誕生」

に必須の条件とされている。自己を複製する核酸（ＤＮＡ、ＲＮＡ）を構成する物質が、必ず炭素を含む有機物だったからだ。

ウイルスは生物か非生物か

私が「振動＝生命」と言うのは、そもそも、人類が生物と呼ぶものも非生物と呼ぶものも、突き詰めれば振動の集まりであって、明確な境界はないからだ。

だが人類は、生命を持つ「生物」と、生命を持たない「非生物」を区別する。

では、生物とは何か？

一般に、膜で覆われた細胞内を「自己」として存在し、エネルギーを産み出す「代謝」を行い、遺伝子をコピーして自己を「複製」するものが生物だとされている。

その本質を振動としてとらえるなら、細胞内の物質に自らの振動（物質波）を共鳴させ、完全な鋳型を作るのがＤＮＡだ。

現象としてとらえれば「復号共鳴振動《ふくごうきょうめいしんどう》」である。

そして、ＤＮＡや、その過程で鋳型として生成されるＲＮＡは、「遺伝子」と呼ばれる部分の振動の作用で、必要なたんぱく質を合成する。

ここで、ウイルスとは何かも考えてみよう。

前述した定義から、自らの細胞を持たないウイルスは通常、非生物とされた（生物と見なす専門家もいる）。

ところが、非生物とされるウイルスが、ひとたび生物に感染し、その宿主の細胞内に侵入すれば、自己を複製して増殖し、新コロナウイルス肺炎などを引き起こす。

これを非生物と言われても、ピンと来ない人も多いだろう。

非生物ともされるウイルスが、細胞内に侵入すれば自己増殖するのは、なぜか？

その正体が「復号共鳴振動」そのものに他ならない。

これは、「非生物なのに増える」とか、「生物だから増える」といった問題ではなく、そういう現象を起こすことがＤＮＡという『物質』の能力だからである。

DNAオリガミ

1980年代から研究され、ナノ素材の開発に有用性が期待されている技術に「DNAオリガミ」というものがある。

これは、DNAを「遺伝子の乗り物」というより、法則性を持って結合する物体（まさに鎖）として利用する。

ご存じのように、DNA（デオキシリボ核酸）という物質は、「ATGC」と言われる4つの塩基、アデニン（A）、チミン（T）、グアニン（G）、シトシン（C）からできている。

そして、対になった2本鎖DNAは、必ずアデニンとチミン、グアニンとシトシンが水素結合するという法則がある。

DNAオリガミは、この法則を利用してDNAを加工してつなぎ合わせ、さまざまな構造体を作成する技術だ。コンピュータで設計図を作り、2次元シートから、長方形、正方形、正八面体、フタを開閉できる箱などまで、さまざまなものをDNAで作ることができる。

念のために付け加えておくが、これは、あくまで生命体ではない。

どんなことに利用されるかというと、例えばドラッグデリバリーシステムがある。ＤＮＡオリガミで「リポソーム」のような小胞体を作り、その中に薬剤を詰めて患者の患部の細胞まで直接薬剤を送り込むといったことが試されていくだろう。

また、エレクトロニクスの分野でも、ナノレベルの「超微小ＩＣ」などを作り出せる可能性がある。

そうして実用性のあるナノ電子回路が作られたら、ＤＮＡオリガミの構造体の上に、さまざまなたんぱく質を結合させて、生物的な器官も作ることができる。例えば、光合成するＤＮＡオリガミなども、理論上、制作できると期待されている。

生命を育む振動

私には「人工器官」という発想はないが、ある種のサイトカイン（免疫細胞などが分泌する信号伝達物質の一種）のように働くＤＮＡオリガミを投与して、損傷した臓器や骨格などを患者自身の再生能力で復元する技術ができないか関心を持っている。

実際、切断して失われた指の断面にサイトカイン粉末を塗布し続けることで、なくした指を元どおりに再生させたという症例は報告されている。

ただ、かつて体内にサイトカインそのものを大量投与する治療があったが、その方法だと免疫を強く刺激しすぎて暴走させてしまうことがあり、ハイリスクなのだ。

サイトカインそのものではなく、サイトカイン様《よう》の振動を与えることで同様の生体作用を安全に引き出せるのではないかと考えている。

また、この宇宙には、DNAを心地よく育む「ゆりかご」のような振動がいくつか存在することがわかっている。

今後、地下農場で活用されるであろうフルスペクトルライトという光源は、作物を育み、その成長を促す光の周波数群である。

また、我々が近く（2020年に）リリースしようとしている研究成果に、細胞レベルで人体に好影響を与える「振動発生装置」＝ガンマリズムチェアがある。

外見はマッサージチェアのようなイメージだが、利用者の体内に、有用な酵素とたんぱ

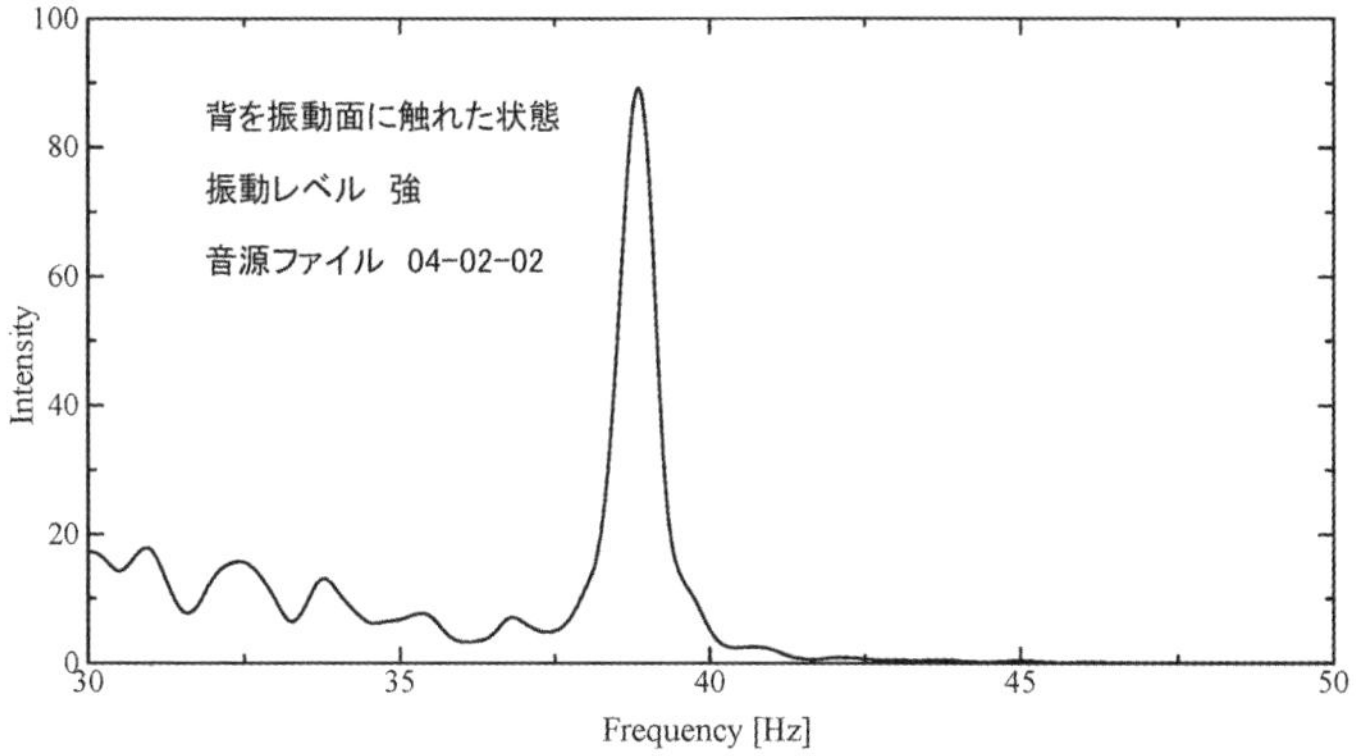

ガンマリズムチェアの脳波誘導実験結果

く質の合成を促す周波数を誘導する。

この振動周波数は、神経や細胞膜を生成、修復する主要なたんぱく質の共振周波数だ。神経を成長させ、脳の発達を促し、骨芽《こつが》細胞を成長させて骨密度を上昇させ、血液中の赤血球を増やしてヘマトクリット値を向上させ、認知症予防にも有用性が期待できる「物質波」周波数を利用している。

同様に、同種のたんぱく質を基材とする植物の成長促進にも、この技術は応用できる。地面に出力の大きな振動スピーカーを埋め込み、田畑に植物の成長を促進する「振動周波数」を共振させることで、種や、生育過程の植物に快適な環境を作る。

そうして成長を促し、まるで植物に肥料を与えたかのような「音や振動による栄養補給」をさせることも可能になるだろう。

与える音や振動によっては、遺伝子操作や投薬なしに、植物の免疫力を誘導し、病虫害に強い植物を生育できる可能性があるのだ。

大和觥が2040年に研究しているテーマも、こうした技術が改良され、進化したものになると考えられる。

改造昆虫の襲来

さて、この年の秋の、ある宵のことだ。

水創生プラントの現場からEアイランドに戻った大和光二は、数日ぶりに落ち着いて論文に目を通そうと、自分専用のAIロボットに論文を検索させていた。

コーヒーをすすっていると、ロボットは論文を提示するのでなく、「呼び出しです」と彼に伝えた。

「何だろう。こんな時間に」

――沖縄のエクボ・ファームからです。

ロボットが告げるのと同時に、

――夜分にすまない。モニターをつないでもいいか？

現地に駐在している同僚エンジニアの声が聞こえた。

「ああ、かまわないが」

大和は応えながら、自分で通話用モニターをＯＮにした。

コールしてきたのは、独自の技術で地下農場の建設を指導している古い仲間だった。

「急にどうした？」

訊くと、サブモニターに１枚の写真を挙げて、

――こんなやつが舞い込んできた。

と顔をしかめる。ごく小さい羽虫のようだった。

「虫…だな。何かの害虫か？」

――ああ、そのとおり。大量発生すると稲を食い荒らすウンカの仲間だ。だが、農学者や昆虫学者に見せても、今まで観察されたことがない新種らしい。

「なるほど…遺伝子改変されているのか。それで、いったい何が起こってるんだ？」

――こっちのラボで分析したところ、活動性が高いだけで、この虫自体に変な毒性はなさそうだ。だが、穀類の成長を阻害するウイルスを抱えていやがった。

「バイオ・テロか?」

――相変わらず鋭いな。俺もそう思う。この地下工場は被害を免れているが、地上の農地では被害が出始めているらしい。報道は見たか?

「いや、何も。今日はずっと水プラントにいたからな」

昆虫禍の撃退

ウンカというのは稲の害虫である。異常発生すると、水田に雲がかかったような風景を現出し、食い散らかした稲穂はしおれてしまう。

だがこの年、通常ならその辺りからウンカが飛来してくるベトナム周辺では、ウンカの大量発生は観測されていなかった。

もし虫の群れが、突然、沖縄に出現したのなら……。

――不意打ちだ! 放っておくと沖縄の稲が全部やられ、こいつら九州にも飛んでいく。

今、穂をつけつつある稲がやられる！

予測もしていなかった蝗害《こうがい》に見舞われたら、全国で稲が壊滅する。

同僚は焦っていた。

――このままやられたら、日本で米が作れなくなるぞ！

大和は、同僚の険しい表情をモニター越しに見すえながら尋ねた。

「ウイルスサンプルは、そこにあるのか？……なんなら虫でもいい」

――虫は死骸だけだが、ウイルスは今、スタッフが分析している。

「わかった。そのままちょっと待ってくれ」


大和は、すぐにメカニックの責任者をコールした。

夕食を摂っていたエンジニアは、箸を持ったままモニターに加わった。

――どうしたんですか？

事情を知らぬ彼は、食事を中断されて少し不服そうだ。

大和は、画面の２人を交互に見ながら、メカニックに言った。

「急ですまないが、移動可能な物質《ぶっしつ》波《は》共振《きょうしん》システム２台を、最短で沖縄まで運んでほしい」

――今度は、何に使うんです？　かなりの重量ですよ！

問い返すエンジニアに、沖縄の同僚が答える。

――おお、すまんね。こっちで害虫が暴れ出しやがったんだ。……だが大和よ、いったいどう使うんだ？

「そいつで、虫の体内ホルモン周波数を割り出せ。逆位相をぶつけて動きを止めるんだ」

大和は、物質波周波数スキャナーで、虫の活動周波数を割り出し、逆位相の波をぶつけて動きを封じようと考えたのだ。

そのために、まず虫を捕獲し、物質波共振システムの中にサンプルとして放り込む。そして、虫の活動基本物質（ホルモン物質）を特定し、その物質周波数を逆に利用するのだ。

今回の場合、手元の虫は死んでいる。ならば、次は最も厄介なウイルス自体を不活性にする周波数を割り出せるかが勝負だ。

――それで、奴らの害が出ている地域に施設のアンテナから地上に輻射するんだな？

「そうだ」と同僚に応えながら、メカニックに

「出してくれるか？」

——了解しました。

メカニックは所長命令とあれば否も応もない。

「そっち（沖縄）は、虫を捉まえられないか？」

——わかった。やってみよう。

未明——。資材搬送用の重力機1機が慌ただしくEアイランドから南へと飛び立っていった。

第4章

思考と心／2050年——AIとヒューマノイド

遠い異国で

２０５０年、宗像《むなかた》アマネは30歳になっていた。

彼女が今いるのは、アフリカの某国。２０４０年代に内戦が勃発し、長引く争いに荒廃した農村地帯で深刻な感染症が発生した。

アマネは数年前から、国際医療団の一員としてこの地に留まっているのだ。

この時代、百年前に組織された国連もまだ存続してはいたが、ほとんど効果的に機能しなくなっている。見限った日米英などの民間人が立ち上げたコンパクトな国際団体が、事実上、国連に代わって多くの国際問題をケアしていた。

――利権を廃した国際貢献

そう謳っているこの組織には、国家が国単位で参加するのではなく、民間の者たちが自らの意思でボランティアとして参加し、世界の問題を考えている。

初めはサイバー空間上で始まった運動であり、それが非政府組織（ＮＧＯ）に発展したのだった。

アマネは共感し、医師としてこの国際団体に加わっている。

この日、彼女が勤務している診療所に、日本から医療物資が届けられた。

この国で流行っている感染症のウイルスを不活性にする「振動周波数」が判明し、その周波数を発振する薬剤が実用化された「ＤＮＡオリガミ」技術で完成した。承認した日本政府から、この国に働きかけがあり、使用可能となった第一陣が、アマネの診療所に届いたのだ。

運んできたのはEアイランドの重力機。広大な地平線上に見慣れた機影が現れ、ぐんぐん近づいてくるのを、彼女は目を凝らして見つめていた。

——那由多はどうしているだろう？

その機に乗っているはずもない彼のことを、アマネは思う。彼は今、重力場宇宙船のクルーになっていると聞いた。

——これで、ここの患者さんたちは救われるだろう。病気が終息したら……、一度、日本に帰ろう。

そう思った。

無限に広がるフロンティア

フロンティア――。

敢えて訳せば「最前線」や「辺境」となるが、「開拓を待つ新天地」を意味する言葉として、昔から日本語にも定着している。そもそもは、先住民を駆逐して「開拓」された北米の大地と結びついていた言葉でもある。

かつて、フロンティアを手にすることは「富の獲得」を意味してきた。

だが新コロナウイルス禍以前、世界の支配層は、地上に新たなフロンティアを見失っていた。未踏の地がなくなれば、権益の拡張や富の増大は行き詰まる。そこで、世界全体を単一市場にする「グローバル化」を試みたのである。

だが彼らは、すでに次のフロンティアを見つけている。

その1つが「サイバー空間」であり、もう1つが、我々の目指すべき「宇宙」だ。

無限に広がるサイバー空間と宇宙。ここが未来の交易の場であり、また主戦場なのである。

重力を制する人類

２０３０年代のうちには、重力を制御することで移動する動力「重力場機関《じゅうりょくばきかん》」が日本で完成する。重力を制する鍵は、物質の振動を制御する技術によって生まれた。

少し回り道になるが、簡単に説明しよう。

２０２０年までには、重力が、その物体の温度や周囲の気温により変化することがすでに発見され、特許を含む情報として公開されていた。

この事実をアカデミズムは無視していたが、当時市販されていた「電子天秤《てんびん》」を販売するメーカーのマニュアルには、「温度により生ずる誤差を、秤《はかり》の側で調整する」という説明が明確に記されていた。

温度の変化によって重量に差が出る。つまり「重力が変化する」という事実を、アカデミズムはまだ認めていなかったが、実務に通じた現場のエンジニアたちは知っており、電子天秤を微調整していたということだ。

温度は、物体を構成する元素が持つ電子や陽子の振動により生じる。温度は振動なのだ。

そこで、電子の動き（即ち電流）を制御することで重力を弱める可能性が実験された。地球表面と上空の間に渡る重力を、電流により遮蔽《しゃへい》する。すると、その上方にある物体の重さが確かに変わったのである。

重力場宇宙船

その先にたどり着いた「重力場機関」の技術は、燃料を燃やして推進力を得るロケットエンジンとは全く異なるものだった。

電子技術によって、宇宙空間に存在する重力に推進機関を共振させ、推力や斥力《せきりょく》を生み出している。そこから、従来の宇宙工学の常識とはかけ離れた「低エネルギー」の「高速推進機関」が登場したのだ。

重力場機関は、本来、ロケット技術では到達しえない「遠い宇宙」に行くための動力として開発された。だが、宇宙船だけでなく、航空機やその他の乗り物にも応用できる。その一例が、アマネのいるアフリカに飛来したような重力機である。

だが、既存の技術を駆逐して宇宙飛行や航空移動手段の主流になるのは、この時代になっても「まだ先」のことだろう。

何事においても、覇権はそう簡単に譲ってはもらえない。

だが２０４０年頃には、この重力機を使った宇宙船が開発され、火星辺りまで悠々と航行していることは間違いない。

そして、日本独自の宇宙ステーションＥＯＳ《イーオス》が、ＳＣＭ《エスシーエム》（スーパーコンダクターマウンテン企業群）を中核とする民間事業体により、共同で運用されている。

はるか宙空で

宇宙——。

そこは海洋と並び、そして海洋よりもはるかに広大な人類のフロンティアである。

30歳になった大和那由多《やまとなゆた》は、地上４万キロを独自の同期軌道で巡っている宇宙ステーション「エクボ・オブザーベーションセンター（ＥＯＳ）」にいた。

このステーションが打ち上げられたのは、彼がまだ学生だった頃のことだ。

大型重力場宇宙船のイメージ

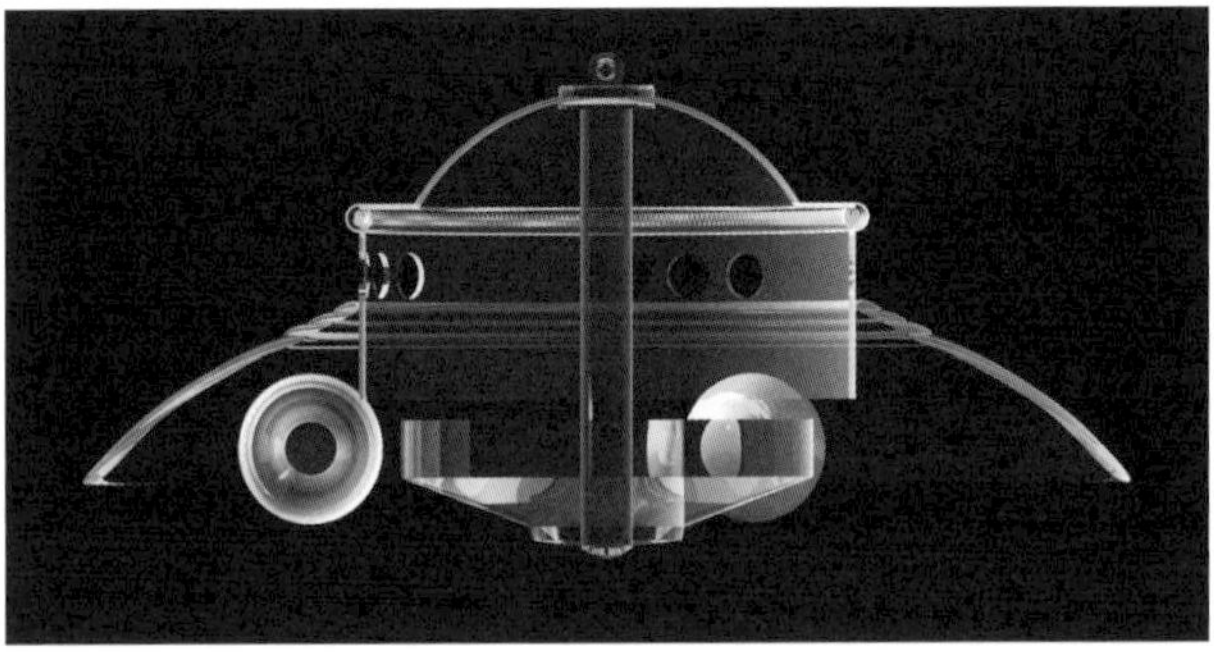

スカウトシップ型重力機の断面

ただ、「打ち上げ」とは言っても、ＥＯＳの場合、従来のような発射台から轟音とともに炎を噴き上げて大気圏を脱してくるわけではない。

Ｅアイランド内の少し広い駐機場から、フワリと浮き上がり、スーッと宇宙空間に昇ってくるのだった。乗った感じをたとえるなら、超高層ビルのエレベーターに乗る感覚に近い。エレベーターとの違いがあるとすれば「中の人は、動いている感じがしない」ことだ。

ＥＯＳが就航した頃、彼は大学院の研究室にいて、超電導技術の技術者を目指していた。だが、あるきっかけで進路を変え、重力機のクルーとなっていた。

研究のキャリアは、宇宙飛行士としても有用だった。今、彼は夢が叶い、30歳という若さでＥＯＳの「第5代船長」に就任していた。

この時間、コックピットに留まる彼とは別に、数人の研究スタッフが実験棟で「ある実験」に従事していた。

船は、アフリカ上空を横切っていく。

那由多は窓外に、ここからは見えるはずもない「地上の人」の姿を求めた。

「暗黒物質」と呼ばれる鉱脈

宇宙空間は、物質として容積を得る前の「物質の種」で満たされている。

前述したように、宇宙空間へ行き、宇宙船から出て宇宙遊泳を行うと、体の周囲に「ガス」が発生することが知られている。

このガスは独特の香りがするといい、船へ戻った宇宙飛行士がヘルメットを脱いだ瞬間、芳しい匂いがすると報告されている。

そのガスが生じるのは、宇宙空間の暗黒物質（ダークマター）に、余剰な電子を持ったヒトの体が接触するからだ。すると、電子の運動量が不足している暗黒物質の「最小化した電子の軌道」が、人体の余剰な電子の電力で拡張する。

そして、フライパンの上でポップコーンが弾けるように、宇宙空間に、物質がいきなりガスとして現れるのだ。

このガスの大部分は「酸素」だと言われている。

暗黒物質が充満する空間を、仮に「前物質空間」と呼ぼう。

前物質空間に向かい、極めて短いパルスを当てて振動を与え、空間自体を振動させると、その空間内に存在する物質に影響を与えることができると考えられる。

ＥＯＳに乗って彼らが取り組んでいるのは、そのようにして、宇宙空間を満たしている暗黒物質から、有用な元素を生み出す技術の開発だ。


眼下に広がる母なる地球の海。

その海は、「水」という生命に欠かせない物質を、無限の恵みとして与えている。宇宙もまた、永らく暗黒物質と呼ばれてきた「元素の素」に満ちている。

その「物質以前のもの」に働きかけ、酸素や水素などを採り出すことができるはずなのだ。

その技術が完成すれば、人類は、これから進出していく果てしない宇宙の果てでも、生存のために必要な水や空気を手にすることができる。

それは、地球人と地球のあらゆる生物に、宇宙における生存の安全性を保証することになる。自分たちの手でそれを成し遂げることが、彼らの「当面の目標」であり、那由多ももちろんその夢を共有していた。

宇宙空間でのせめぎ合い

彼らはまた、「宇宙空間の平和」を希求していた。

それは、物質化技術よりも実現が難しそうな夢だ。だが、当面開発している技術の完成もその一里塚とはなるはずだった。

平和な「恵みの海」であるべき宇宙でも、人類は「限られた資源」の獲得競争に血道を上げていた。数カ国の宇宙大国が、地上38万キロにある月と、大接近時で7000万キロの彼方にある火星に「開拓隊」を送り込んでは、土地の領有を主張し合い、資源の獲得を争っている。

そうした宇宙資源獲得競争に伴って、本来なら国際条約に違反しているはずの先端兵器を搭載した衛星同士が、地上3万6000キロでのにらみ合いを常態化させていた。

2030年代の「火星の時代」とともに始まった宇宙冷戦である。

那由多たちのように、「丸腰」の宇宙施設で勤務していると、互いににらみ合っている大国が運用する衛星と遭遇することも少なくない。

そんなとき、静かに通り過ぎてくれればいいものを、無遠慮なハッキングやレーダー照射にさらされ、「おいおい、こっちは有人だぞ！」と背すじが凍るような思いも、彼らは幾度か経験していた。

制御不能の衛星兵器

そんなある日、暗闘する敵方のクラッキングで制御不能に陥った無人衛星が、人工台風を巻き起こすレーザー砲を作動させてしまったとの報が入ってきた。

「実験中断！　レスキューモードに展開！」

さっそく那由多が発した指示に、

「せっかく実験がうまく行っていたのに、また中断するんですか？」と年長のクルーが不満を鳴らした。

ＥＯＳは、通常は先述した一定の同期軌道を周回している。

本来なら、赤道上から日本列島を見下ろす静止軌道にとどまりたいのだが、地上３万

6000キロの静止軌道は、いまや数カ国の宇宙大国に独占されているのだ。

日本の静止衛星も、かつては多数運用されていたのだが、今では入る隙間がなくなっていた。宇宙でも、丸腰では権利を主張できないのだ。

耐用年数を迎えた日本の衛星が、順次「墓場軌道」に移行して廃用となり、徐々に数を減らしていった。そして今では、その数「0基」。代わりに日本上空では、米国の衛星が運航し、同盟国・日本の利用に供されていた。

技術大国である日本は、宇宙大国である盟主の軒下を借りているわけだ。

宇宙小国のレスキュー隊

だが、宇宙における権限が極めて小さい「宇宙小国」が擁するこの衛星に、宇宙事故などの緊急時ともなると、陣営の垣根を越えてトラブルの収拾が要請される。

数ある衛星の中で唯一、重力制御によって自在な自律航行が可能だからだ。

また、超電導機関で電力を賄っているため、燃料を積み込む必要がないこともEOSの特長だ。

地上の「日本自衛隊の宇宙作戦隊」（２０２０年発足）管制から細かい指令を受けた那由多は、年上のセキュリティエンジニアに確認する。

「安川さん、ＡＩを使っても大丈夫ですね？」

そのＡＩをはじめ、彼のステーションを制御しているシステムはすべて、地上を発つ前に父の光二らが念入りに整備してくれていた。

「大丈夫。点検は済んでいます」

那由多は、受け取った情報にＡＩをアクセスさせ、船の動きを慎重に見守る。

このステーションに搭載されているＡＩが、誤作動を起こしている衛星に向かって重力場を形成し、一気に相手に取りついてシステムを修復するのだ。

その際に接したデータは、「協定」に従って、そのつど大国に回収されるため、手元には残らない。だが彼らは、そうした経験を蓄積し、次の救助活動や研究に反映していた。

ＥＯＳのＡＩが標的衛星を捕捉し、ハッキングを始めたところで、研究を中断されたクルーが独りごちた。

「手をかけさせやがって！　助けを求めてくるぐらいなら、こっちに道を譲れってんだ」

「まったくです。もっと穏やかな海であってほしいですね」
同乗のクルーたちに向けて、船長は宇宙灼《や》けした精悍な顔をしかめてみせた。

宇宙を利用した研究

将来、地上とは環境が異なる宇宙空間を利用して、さまざまな研究開発が進むことになるだろう。ＥＯＳのような宇宙施設を運用して進むことを期待したい研究。それは実に多岐にわたる。

第一に有望なのが「冶金《やきん》」である。宇宙空間では重力の影響をほとんど受けないため、地上では作ることのできない合金などの製造が可能となる。

また、同様に資材の重量が問題にならないことから、巨大な構造物、建造物は宇宙で作られるようになるだろう。大型宇宙船の建造も宇宙で行われ、宇宙ステーションのような発射基地から飛び立っていく。

そして、ＥＯＳのクルーたちが研究を進めているように、宇宙空間そのものが研究開発の素材＝暗黒物質の充満している場所であり、宇宙の鉱脈として利用価値がある。暗黒物質を利用し、空間から物質を生み出す「物質創造」技術が完成できれば、人類は惑星の物質に依存しないで宇宙に進出していける。

また、未来のコミュニケーション手段として実現するであろう「想念通信」がある。この技術は、人間や動植物が発する想念の周波数を、専用のセンサーで感知し、言語化、もしくは人間が認識できる何らかの信号に変換して、コミュニケーションに活用するものだ。

未来のコミュニケーション――想念感知

想念感知《そうねんかんち》技術の応用は、初めはごく狭い範囲で始まる。例えば、その技術を開発している企業のオフィスなどで、パスワードに代わる独自の「担当者認証」に実験されるのではないだろうか。

米国での研究だが、「ＦＢＩ」「ＤＶＤ」といった略語を読み、その意味を認識する際に現れる脳波のパターンには個人差があるとわかっている。さまざまな略語を大勢の被験者に読んでもらった実験の結果、94％の精度で脳波から個人を見分け、特定することができたという。

そうした想念感知の周辺技術が徐々に確立すれば、次には警備会社が提供するホームセキュリティの認証システムなどの「本人認証」に、徐々に利用が拡大していくだろう。家族が自宅の玄関に立つと、アマゾンのＡＩアシスタント「アレクサ」のように、「○○さん、おかえりなさい」と合成音声で迎え、自動的に開錠して開けてくれる。そうした技術だ。

いずれは想念感知技術が、人の「悪意」を感知するために応用され、警察や軍隊では、犯罪や破壊行動、テロなどを事前に察知する目的で使われ始めるかもしれない。

ただし、これが行き過ぎると、トム・クルーズが主演したスピルバーグの映画『マイノリティ・レポート』のように、あなたが犯罪者に仕立て上げられ、警察に追われる悲劇が生じてしまう恐れはある。

それはさておき、想念感知技術も、宇宙空間での研究に適しているテーマだ。

地上は、良くも悪くも人が多いので、生物の発する想念の信号が雑多に入り乱れてしまっている。その点、宇宙空間には圧倒的に生物が少ないため、人間同士、生物同士の想念通信研究に最適な実験室が得られるのだ。

私は、物質創造技術とともに、この想念通信技術も、人類が真の平和を創造し、拡大していくうえでなくてはならない技術だと考えている。

人類同士が真に理解し合えるツールとして、想念通信技術が確立することを願っている。

研究のパートナー

那由多が宇宙に、そしてアマネがアフリカにいる頃、日本では、振動生物工学の第一人者となった大和航《こう》が、彼の「研究パートナー」と話し合っている。

二人は広い研究室のテーブルをはさみ、リラックスした姿勢で向き合い、会話を続けていた。今日は、もう半日も話していただろうか。

自分のコーヒーのお代わりに立った航が、少しおどけた調子で、

「君も飲むかい？」と尋ねると、パートナーは、

――無用のお気づかいです。

と無表情に応えた。

魷は「冗談だよ」と言いながら、カップを手に席へ戻る。

このようにリラックスして仲間と議論する研究スタイルは、この時代の研究者には当たり前のものになっている。

魷のパートナーは非常に博識で、彼が参照したい論文などの研究データを、即座にモニターに提示してくれる。そのうえ聡明で、議論の落とし穴になりそうなポイントも、鋭い質問を適時に投げかけて補ってくれる。

さらに、記憶力がずば抜けているため、魷は、自分のために要点をメモする以外、議論の記録に気を配る必要もなかった。

しばらく議論を続けた後、魷は「うん、わかったぞ。ありがとう、オモイカネ」と会話を切り上げた。

――どういたしまして。

「今の論点を要約して、出力してくれないか」

――いつものように紙にプリントするのですね？

「紙のほうが読みやすくて、頭に入るからね」と魷。

――もちろん理由はわかっていますが、合理的ではありません。

不服そうに言いながらも、オモイカネは無表情でプリンターに出力信号を送る。

今や紙の素材も変わり、「エコじゃない」などと批判する者もいない。だがこの時代、紙に資料をプリントする者はあまりいない。觥専用のペーパープリンターは、オモイカネが自分で設計図を探し当てて、３Ｄプリンターで製作したものだ。

そういえば、オモイカネというやや変わった名前は、觥が神話の「知恵の神」にちなんで名付けたものだ。実は彼は、研究者や学生の身近で研究を支援するヒューマノイド。すなわちＡＩロボットなのだ。

ヒューマノイド

ＡＩの利用は、将来的に急激に加速する。

工業用ロボットはもちろん、ビッグデータを利用したアプリケーションなど、どんどん活用が広がっていき、それが国の「労働生産性」も飛躍的に押し上げる。

２０５０年よりかなり前に、ヒューマノイドも身近な存在になるだろう。

ヒューマノイドとは、人間によく似た「ヒト型ロボット」を指すが、この時代の彼らは、ビッグデータとつながった高次判断能力を持つＡＩロボットに進化している。

人間の指令や目の前の事象を的確に把握し、ビッグデータへの超高速アクセスでかなり的確に物事を判断する「自律型ヒューマノイド」だ。

その行動が人間に似るのは、内蔵されたプログラムが妥当な判断を下す「確率の高さ」によるものだが、自律型ヒューマノイドをパートナーに持つ人間は、あたかも彼らが心を持っているかのように感じるだろう。

ヒューマノイドは、人に寄り添う存在として、人が創る産物だ。

初めて商業化される本格的なヒューマノイドのプロトタイプは、人間に酷似した外見を持っているだろう。そのほうが、インパクトがあるからだ。

だが、本格的に普及させるとなると、人間そっくりのヒューマノイドはさまざまな混乱の元になりうる。また、機能性という点でも、「人間と似てはいるが、はっきり見分けがつく」ような姿にしたほうが便利だろう。

ヒューマノイドの筐体《きょうたい》は、場合によっては機械でなく、有機物でできていることもありうる。高度に造られたヒューマノイドは、人なつこく、従順で、活発になるだろう。

ヒューマノイドの明朗闊達《かったつ》な性質（性格）は、アニメ『攻殻機動隊《こうかくきどうたい》』に登場する移動ロボット兼装甲車、タチコマがうまく表現しているように思う。

わかりやすいたとえだと思うのでついでに言えば、草薙素子《くさなぎもとこ》やバトーはサイボーグであるがもともと人間で、そのふるまいはあくまで人間のものである。ヒューマノイドを使う立場にあるのも、人間だからである。

では、ヒューマノイドに「心」はあるか？

極めて難しいテーマだが、これもアニメでのタチコマの描写がよく表現しているような気がする。見たことのない人は、機会があったらご覧になってほしい。

兄と妹、そして弟

餓の研究室に戻ろう。

彼のために議論の要点を出力しながら、オモイカネが言った。

――アマネさんからメッセージが届いています。

「えっ？」

議論に夢中で気づかなかったのだろう。こうした場合、ヒューマノイドが「主人」にすぐ知らせるかどうかも、ケースバイケースである。

オモイカネは鯱のスタイルに合わせ、何かに集中している間に急用でないメッセージを告げることはほとんどない。

鯱がメッセージを開くと、アマネからの帰国の知らせだった。

「何年ぶりだろう……」

アマネは、彼にとって妹のような存在であり、弟の那由多と結婚していれば、実際に義妹にもなるはずの女性だった。

だが、アマネが医師免許を取得した後、彼女と弟の関係は変わった。

彼女が「医業に専念したい」と言い出したからだ。

動揺し、混乱した那由多のために、鯱がアマネを説得したこともあった。だが、彼女の意志は固く、将来は医師の足りない途上国に行くというのだった。

——それが、天の声だと気づいたの。

申し訳なさそうに、だが打ち解けた雰囲気でアマネは言った。觥は、彼女が、ほとんど記憶のない、外交官だった父の願いも汲んでそう決めたと聞き、もはや反対しなかった。

——それに私、結婚もしたくないんだ。二人とは、どちらともこれまでと同じ距離でいたいと思うの。

実際、そのことがあってからも、３人の関係は変わらなかった。

觥は生物工学の成果を話題にし、アマネが医学の知見を披露し、那由多は超電導の応用を夢物語に語った。

那由多も気持ちの整理が着くと、アマネに付いて出かけたりしていた。ただ、二人の関係は変化し、本当の姉弟のようになっていった。

数年後、アフリカの最貧国で疫病が発生したとき、アマネは兄弟に別れを告げた。

那由多が地上でのエンジニア生活に見切りを付け、宇宙へ飛翔する道を選んだのは、そのしばらく後である。

母への誕生日プレゼント

アマネが働いている国には、その頃に觥たちが用いているビデオ通信に適したインフラがなかった。

彼女が送ってきた文章だけのメッセージに、觥も同じやり方でたどたどしく返信をした。翌日までそういうやりとりを続け、疑問に思った。

――ホントに昔は、こういう通信を便利だと言ってたのだろうか？

それから觥は、宇宙にいる那由多に連絡をした。

「アマネが帰ってくるぞ」

――ほお、懐かしいね。日本に帰ったら交信できるかな？

「うん、そうするよ。それでだな。彼女が帰ってきたら、宗像の叔母さんにヒューマノイドをプレゼントしたいんだ。お前と3人でさ」

――おお、いいねぇ。その話、乗るよ。いくら送ればいい？

１週間後、アマネが帰国し、母親の洋子《ようこ》とともに大和光二《こうじ》の家を訪れた。洋子にとっては、アマネの不在中もよく訪れているなじみの家庭だが、光二と陽子《ようこ》はアマネの来訪に驚き、ことに陽子は涙を流して喜んだ。

それに洋子がもらい泣きし、アマネと罰、そして光二は顔を見合わせた。さらに、通信で参加している那由多も戸惑ってドギマギしていた。

再会の乾杯をし、しばらく歓談するうちに、大和家の玄関のベルが鳴った。宅配ロボットがやってきたらしい。

ロボットの配達員が伴ってきたのは、これもロボット。家庭用の「お手伝いロボ」だった。

――はじめまして、洋子さん。私はアマネさんからお母さんへのプレゼントです。家事全般はもちろん、おしゃべりの相手もおまかせくださいね。

ロボットながら、マンガに描かれたお茶目な少女を思わせるような顔をしている。

「お母さん、少し早いけど誕生日のプレゼント。罰と那由多と３人で選んだのよ」

かわいらしいお手伝いロボと娘の顔を見比べて、洋子は号泣した。

戸惑うアマネに、觥が舌を出してみせる。

――おいおい、だからサプライズなんてやめようって言ったんだ！

モニター越しに、那由多が天の声を降らせてくる。

だが、宗像洋子と大和夫妻にとって、その日は近年で最良の一日だった。

ヒューマノイドの可能性

ヒューマノイドは、先ほども述べたように茶目っ気があり、人間に献身的なパートナーである。ビッグデータに判断を依拠する彼らが陽気な性格なのは、それが人間というものの心の特性だからかもしれない。

また、想念感知技術の研究に当たって、人間を被験者にすると、どうしても本人の感情が「雑音」になる場合がある。そうした場合、ヒューマノイドが実験台になってくれたら、かなり曖昧さが軽減され、客観的なデータが得やすくなるだろう。

だが、ＡＩやヒューマノイドが、争いの道具として使われないという保証もまたない。

現に２０２０年でも、悪意ある者がＡＩに「人がだまされやすいパターン」を学習させ、そのパターンを犯罪やテロ行為に利用している可能性は高いと言われる。

人と同じ外見を持つヒューマノイドの開発は、日本が世界をリードしている分野である。だが、人間に酷似したタイプのヒューマノイドは、最終的には限定された領域で「許可制」のような一定の規制をかけながら運用されるようになると思う。

２０２０年の５Ｇ機器のように、将来のＡＩヒューマノイドが作為的なカスタマイズで「スパイ」としての機能を潜ませるようなリスクも予想されなくはないからだ。

そういえば、ヒト型ヒューマノイドが普及し始めた頃に、航と那由多が驚いて語り合ったニュースがあった。

真偽のほどは定かでないが、上海発のその噂は、某国のエージェントがヒューマノイドにハニートラップをかけられ、自爆テロを仕掛けられて殉職したというのだった。

当然ながら、この時代、高機能のＡＩヒューマノイドは反対陣営に対する禁輸品目に入っている。

第5章

電気の傘／2060年——対EMP防諜戦

対サイバーテロ・システム防衛戦

２０６０年、大和光二《やまとこうじ》は70代になっていた。73歳の彼は、いまだ現役バリバリのセキュリティエンジニアとして、大勢の部下をまとめ上げる立場にあった。このEアイランドにあって古参幹部の一人であり、研究中の最高機密情報の「金庫番」のような存在である。

この時代の70代は一様に若い。大和自身も、半世紀ぐらい前なら50歳前後にしか見えない風貌である。

しかしながら、やはり経験の重みというものが佇《たたず》まいに現れるのだろう。中央制御室の指揮所に彼の姿があるだけで、現場はビシッと引き締まる。その姿は、さながら歴戦の将軍が最前線に出て、戦場の兵士たちを鼓舞しているかの趣があった。

その男のもと、百人近くに及ぶエンジニア陣が、食いつくような表情でめいめいのモニターに向かい、大規模な「システム防衛戦」を戦っている。

この日、小さな湾を包むようにして丘陵に並び建つＳＣＭ《エスシーエム》企業群と、その中心にあるＥアイランド本島に、一斉にサイバー攻撃が仕掛けられていた。

「被害情報を、いち早く報告しろ！」

声を張り上げる指揮官に、次々と報告が上がってくる。

「Ｂ棟、メインシステムダウン。予備電源でバックアップシステムに切替え中です！」

「チョーデン本社が、ブラックアウトしました！」

――エッ、あのチョーデンが……？

スタッフがざわめいたのは、新種のマルウェアの攻撃でシステムを停止させられたのが、子供でも名前を知っているＳＣＭの超優良企業だからだ。

だが大和は、動揺した顔を見せずに

「原因の究明と、弱点の特定を急げ。原因不明は認めない！」

――了解です！

ウイークポイントが徐々に絞り込まれていく中、大和の叱咤《しった》を受けてスタッフの士気はなお上がる。

種を明かせば、彼らは最悪の事態を想定したサイバーテロ対策の予行演習を行っているのだ。だが、単なる型通りの訓練ではない。

あらゆる最新のマルウェアを駆使した集中攻撃を、従来の例をはるかに超える規模で、世界中から仕掛けられた場合、

「島と企業群がどこまで耐えられるか」「セキュリティの穴はないか」

そういった限界と弱点を徹底的に調べ上げ、システムをより強固にアップデートするための真剣勝負だった。

リスクを知り、リスクを取れ！

大和らが、真剣勝負の演習を行っているように、この本も単なる娯楽読み物ではない。

新たな時代を担う読者諸氏に、今後ますます「セキュリティ」と「インテリジェンス」の重要性が増していくことを認識してほしい。

その強い思いで書いている。

これからの生活が、インターネットの活用なくして成立しえないことは言うまでもない。

サイバー空間は、我々に多大な利便と、文明を飛躍させる機会を与えてくれるだろう。

だがネット上には、時に悪意も潜む。また、サイバー空間で覇権を獲る者が、世の中を牛耳ってしまうこともお察しのとおりだ。

そうした時代を、いかに生きていくか。

被害や支配を避けるために、リスクを取らない？

そういう選択も、昔ならありえたかもしれない。だが、このＩｏＴ時代に、そうした選択肢はまるで意味をなさない。車社会で、「事故が怖いから車には乗らない」と言うようなものだ。

サイバー空間でも、そして宇宙でも、リスクを取らない者には、新しい時代を切り拓き、社会や人類に貢献することはできない。

肝心なことは、リスクをよく知り、自らリスクを取りに行き、それをマネジメントすることなのだ。

孫を持つ美魔女と美少女

大和光二がEアイランドで演習を指揮している頃。

妻の陽子《ようこ》は、道を行くワンピース姿の女の子に見とれていた。

夫より3歳年下の彼女も今年「古希」（70歳）を迎えたが、夫同様に若々しく、その肌にはシミもない。半世紀前なら40歳ぐらいに見られるはずで、間違いなく「美魔女」と騒がれただろう。

とはいえ、彼女もすでに孫を持つおばあちゃんだ。

航《こう》に二人、那由多《なゆた》に一人の子があった。

那由多の妻は、夫の宇宙滞在が多いこともあり、陽子たちのすぐそばに暮らしていた。

孫娘の名は、マリア（真理愛）。今は南アジアでボランティアに従事している、アマネが名付けてくれた名前だ。

アマネの途上国生活も長いが、航と那由多が結婚したときには、休暇を取って式に出てくれた。兄弟も、アマネが帰国できる時期に日取りを選んでいたのだ。

大和家では、彼女を当たり前のように、マリアの「伯母さん」と呼んでいた。


「そうか……」

陽子は、自分がなぜ女の子に惹きつけられたか、気づいた。

その子は、コーカソイド（西欧）系の顔立ちをしていたが、孫のマリアに似ていたのだ。

「マリアちゃんが、もう少し大きくなったら、あんな感じになるんでしょうねぇ」

見えない雨傘

ご満悦の祖母は、歩いている女の子の姿を目で追う。

そのとき、道に面した建物では、若い職人が一心に作業をしていた。抜群に省エネになる超電導のシートを、古い住宅の外壁に張り巡らせているようだ。

女の子が歩いてきて、その現場にさしかかった。

すると、職人がうっかり糊かペンキのようなものを引っくり返してしまった！

「危ない！」

液体が、女の子の上から降ってくる！

陽子が目を見張った瞬間、女の子の頭上で、何かが「液体」を受け止め、女の子は何事もなかったかのように歩いていった。

「ふーっ」

陽子は安堵のため息をつき、それからあらためて、立体メディアの映像にのめり込んでいる自分に気がついた。

「もう、私ったら単純ね。また気をもんじゃって……。それにしても、これって何なのかしら？」

その子の祖母らしい女性が、女の子の腰にベルトを巻いてあげていた。

——これで、急な嵐に遭っても安心ね！

陽子が見ている映像は、最新型のウェザーシールド《エレクトリック・アンブレラ》の広告だった。

そのベルトを腰に巻くと、体表から1～2メートルの空間に、周波数の異なる高周波振動が輻射され、両者の差分の変調空間が外部からの侵入にバリアのように働いて、雨や、強い風で飛んできた物体をはじき返すのだった。

「なるほどねぇ。マリアちゃんにも買ってあげようかしら」

70歳の大和陽子は、相変わらず少女のように好奇心旺盛だ。

そういえば、若い頃の彼女はもっと病弱だった。だが、この時代の人たちは、物質波周波数を応用した健康増進器具などの貢献もあって、どんどん若く、元気になっている。

空間の基礎構造

ところで、見えない雨傘《エレクトリック・アンブレラ》は、いかなる原理でそこに作られるのか。

この現象の感覚がわかるような例を挙げれば、高分子シート（食品ラップ）の製造工場にある巨大な巻き取り機の近くなどで、こうした現象が起こる。

ラップを高速で巻き取っている巨大な母材ロールが並んでいる場所で、その間を通ろうとすると、なぜか強く押し返されて、人や台車が入っていけない空間があるという。

この場合、見えない圧力を生み出す原因は主に静電気であり、人も運搬物も反発するほどの静電気が常時発生していれば、当然、雨のような水滴も通さない。

だが、見えない雨傘の生ずるメカニズムはこれと異なり、現在まだアカデミズムが認めていない空間の背景の構造が関わっている。

宇宙も含むあらゆる空間に、我々がまだ感知できていない背景構造がある。その構造を感知できないのは、それが原子などより、さらに微細な構造だからだ。

先ほど「空間の背景」といったその微細構造は、ジャングルジムのような格子状をしており、その構造全体が常に規則的に振動している。

我々が感知できる空間の背景にある、その高周波振動空間を「前物質空間《ぜんぶっしつくうかん》」と呼ぼう。

見えない傘は、この前物質空間の基準周波数に変調を与え、周波数の異なる空間領域を「一層」創り出すことで具現する。

そのための装置（ベルト）を腰に巻き、電源を入れると、体表を巡って高周波が発振され、体から1～2メートル離れた領域に、前物質空間の基準周波数が変調した空間が一様に作られる。

腰の装置は、さらに別の高周波を発振し、異なる波長に変調した領域を、先ほどの領域の少し内側に作り出す。これで、外側と内側の空間は、振動の異なる領域同士になる。ここがポイントである。

前物質空間は、あらゆる空間の基礎構造であり、常に規則的に振動している。そのため、前物質空間の中にある全ての物体は、同じ周期で同調していないと、Ａ点からＢ点への移動ができないのだ！

隣に振動の異なる空間が並んだ場合、どんな物体も、振動が不連続な隣の空間には入っていけない。女の子に向かって何かが飛んできても、そのバリアを通過できないわけだ。

電磁バリアと空中浮遊システム

見えない雨傘は、ごく身近な生活用品としての応用例だが、Ｅアイランドの周辺には、同じ原理で電磁バリアを張り巡らすシステムが、かなり前から備えられていた。

当代随一のセキュリティを誇るＥアイランドとＳＣＭには、いざという時にだけ発動する特殊な防御システムが2つある。

1つは、上空からの攻撃を撃退するこの「電磁障壁（電磁バリア）」であり、もう1つは、重力場機関を応用した「空中浮遊システム」だ。

ポストコロナ時代の比較的初期に、「南海トラフ地震」が日本を襲った。

その際、沿岸部に達した大きな津波を、EアイランドとSCMは「空中都市化」してやり過ごしたのだ。その話は、まだコロナ禍からの復興期にあった国民に、大きな勇気を与えた。

地上の巨大建造物が空中を漂ったのは、歴史上、後にも先にもその一回きりだろう。今でも人々の語り草になっている。

だが、セキュリティシステムというものは、発動する機会がないに越したことはない。Eアイランドでも、電磁バリアのほうは、実験や点検を除いて、まだ張ったことはなかった。

電子機器を破壊する電磁波

Eアイランドに準備されている電磁バリアや、空中浮遊システムのような防備は、一般企業や家庭にまで導入されるべき技術とは言えない。

だが、これから述べるセキュリティは、より現実的であり、あなたにもぜひお勧めしておきたいものだ。

「ＥＭＰ《イーエムピー》」に対する備えである。

これはサイバー社会のセキュリティにおいて必須の部分だ。

ＥＭＰ（電磁パルス）。これは、パルス状の電磁波である。パルスとは、短時間に急激な変化を見せる信号を指し、その脈打つような波形をパルス状という。

ＥＭＰは、雷、あるいは太陽嵐といった自然現象によっても起こる。

そして、巨大なエネルギーを持つＥＭＰは高電圧の電流を誘発し、電子機器の機能を停止させたり、機器そのものを破壊したりすることがあるのだ。

歴史上、１８５９年に巨大な太陽嵐が発生した際、欧州と北米で電信用鉄塔から火花を散らし、「電報システム」をマヒさせるといった被害を及ぼしている。

電報の時代ですら大きな障害が出るのだから、ＩｏＴへの依存度が高まっているサイバー時代においては、なおさらである。

猛烈なＥＭＰは、電気回路が耐えられる定格を超えた「電流の大波」を瞬間的に惹き起こす。「サージ電流」だ。

100ボルトのコンセントからいきなり電圧が10～30倍以上の電流が飛び込み、電子機器に甚大な負荷をかける。絶縁が破壊され、入ってはならない回路へ高電圧電流が流れ込んで、半導体素子などを破壊してしまうのだ。

「EMP攻撃」への備え

この現象を人工的に誘発する攻撃手段も存在する。

「EMP爆弾」(電磁波爆弾)である。

この兵器は、人工地震や人工台風などの気象兵器とともに、さまざまな憶測を呼び、陰謀論でも取り上げられる。だが、これらの兵器は実際にすでに存在し、使われてもいる。

EMP爆弾による攻撃には、至近距離で携行爆弾を使う方法と、高高度で核爆弾を炸裂させる方法があるが、おなじみなのは、高層での核爆発でEMPを発生させ、地上の電気機能をストップさせるタイプだろう。

そんな攻撃を受けたら手の打ちようがない……ように語られる。

だが、ＥＭＰ攻撃の実質的な衝撃は、「落雷」に極めて近いのだ。

そこで、ＥＭＰ攻撃に備えたいなら、落雷事故による電子機器への障害を想定し、完全な防電対策をすればよい。ＥＭＰ対策を「サージ電流対策」と言い換えてもよい。

具体的には、コンセントと電子機器の間にＥＭＰ対策用のトランスを入れて、３万分の１以下の電圧まで降圧し、機器の中にサージ電流が侵入するのを防げばよい。これで、電源線から侵入するＥＭＰからデバイスを防御できる。

だがＥＭＰのサージ電流は、電話線、アンテナ、ネットワークケーブル、そして電子機器間の接続ケーブルなどからも飛び込んでくる。

この侵入を防ぐには、ケーブルの通路を何重かにシールドしてグラウンド（アース線）に接続し、大地へサージ電流を逃がす対策を取らなければならない。

家庭でも、最低限、家電機器にアース線を付けるなどの対策が必要だ。通信機器については、機器間を接続している全ケーブルを覆うように、完全にアースされたシールドダクト内に納めることが望ましい。

緊急の最高幹部会議

サイバーテロ対策の大演習からしばらく経った日、大和光二は、Ｅアイランドの上層部から緊急会議に召致された。

機密性の高い広い会議室に、15名の最高幹部が顔を揃え、突如降りかかった難題について協議を続けていた。その席にはほかに2名、防衛省制服組の姿があった。

議題はＥＭＰテロ対策である。

無論、Ｅアイランドと周辺企業のＥＭＰ対策には万全が期されていた。

彼らが議論しているのは、「首都防衛」――。そして、自分たちがその事態にどう対処すべきかだった。

数日前から、「Ｅアイランドが東京にサイバー攻撃をかけ、日本を牛耳ろうとしている」との噂がネット上を騒がせていた。

会議に赴く前、陽子は不安げだった。

――あなた。そんなこと、ただの噂よね。

「当たり前だ！」

今朝、家を出るとき、噂は、すでにネット上で広まっていた。

一方、彼らのエージェントからは、実際に某国が東京へのＥＭＰ攻撃を準備しているとの情報が入っていた。

議論は紛糾。いや、堂々巡りをしていた。

――相手は、ＥＭＰで東京の機能を止めて、それを我々によるサイバー攻撃だと、国民に思わせたいのだ。

――世論の支持を失わせたところで、日本政府に介入させ、この島を丸裸にしようという魂胆だろう。

――東京全域を防衛する時間がない。拠点防衛に切り替え「電磁障壁」を設置できないか？

攻撃は、３日後と目されていた。

――だが、複数の拠点に「電磁障壁」を今からは不可能だ。重点地区に防衛を絞るにしても、敵はその間に、この島に攻撃を集中するだろう。陽動なのは明白だ！

EMP攻撃！

大和も、必死に思考を巡らせていた。

――できる範囲で、最善の選択肢は何だ？

ＥＭＰ攻撃は、核爆弾を使用した場合でも、地上の人間は殺さない。電気に頼るシステムをマヒさせ、都市機能を停止に追い込むことが目的なのだ。

これが殺戮兵器での攻撃だったなら、彼も迷わず、首都への出動をスタッフに命じることだろう。だが、これは情報戦であり、詰まるところ技術の争奪戦なのだ。

――あの東京を沈黙させるほどのＥＭＰ攻撃……。本当にそんなことができるのか？信じがたい思いはある。だが、実際に起こってしまったら……。

電気的に機能停止した首都機能の回復には時間がかかる。その隙を悪意ある勢力に突かれたら、国家としての存立にも関わる可能性がある。

Ｅアイランドの専門家集団なら、復旧を大きく早めることに貢献できるだろう。

だが一方、ＥＭＰ攻撃を受けた都民はどう思う？

彼らは、高高度の核爆発に気づくことなく、急な大規模停電に驚くだろう。そして、噂として流されていた「Ｅアイランドによるサイバー攻撃」を信じ込む。

その憶測は、瞬く間に国民の間にも伝わり、多くの人々が「攻撃者・Ｅアイランド」への憎悪を募らせるのではないか？

そこへ「救援者」として出て行って、信用してもらえるのか？

——大和君。セキュリティの責任者としての見解は？

発言を促された大和が席を立ち、並みいる幹部らの顔をゆっくり見渡し、ある覚悟を発言しようとした時、その報が入ってきた。

——大阪、ＥＭＰ攻撃を確認！

——何ぃ!?

——東京ではないのか？

——大阪です！

３日後と予測された攻撃が、予想より早く開始された。

――大阪空港一帯が機能停止しています。

大和は「やはり」と思った。

首都・東京では、ＪＥＲＡの火力発電、東京都交通局の水力発電に加え、川崎天然ガス発電をはじめとする近郊からの送電網が充実している。敵が羽田空港などのデリケートな施設をＥＭＰで沈黙させようとしても、最重要な電力供給が実は堅牢に守られている。

――首都攻撃のブラフの裏で、一般大衆の目を東京に向けさせ、我々を揺さぶったのだ。

不本意な嫌疑

その時、制服組が動いた。

――議長！　もはや、衆議一決している場合ではない。国家安全保障会議議長、内閣総理大臣の命により、現時刻をもって「Ｅアイランド」は防衛対策本部の指揮下に入る。

――わかりました。

議長は、静かに頷くと制服の男の言葉を待った。

――本部からの報告では、攻撃第一波は大阪空港管制の中央管制システムをダウンさせている。現在、サイバー対策別働隊が現地へ向かっている。

――幕僚長、貴下の部隊へ後方支援いたしますか？

――必要ない！　それより、貴殿らは別命あるまで、施設から出ないでいただきたい！

――それは、我々を疑っているということか?!

同席した幹部の一人が声を荒げた！

幕僚長と呼ばれた制服の男は、見向きもせず制帽をきちっと被ると、同行するもう一人に目で合図を送った。

――当施設は、以後、海上保安庁が監視するのでそのつもりで。

――待ってください。議長が慌てて立ち上がったが、男たちはそのまま会議室を後にした。

幹部たちが肩を落とす中、大和は場違いな笑みを浮かべていた。

――大和君、何がおかしい？　攻撃され、我々は疑われたのだぞ！

――議長、我々にはまだ…起死回生のチャンスがあります。

幹部たちの間からざわめきが起きた。

――議長、私の考えを申し上げても…いいでしょうか？

議長が許可すると、大和は、誰も思いもつかない「計画」を話し始めたのだった。

大和の奇策

大和ら幹部は、Ｅアイランドの地下発電部へ向かっていた。

また別のチームはクーロン輻射《ふくしゃ》送信室へと向かっていた。外に出ることは制限されたが、施設内の行動を規制されたわけではないからだ。

大和は地下のメイン発電室のスタッフに、ある指示を出した。同時に別のチームからも、目的のクーロン輻射送信室の準備ができたと、連絡があった。

――では、やってください。

大和は発電部の責任者に指示を出した。

――大和さん、うまく行きますかね。

大和は真顔で制御室のチャートを見ていた。

――行かせるさ！　それが、俺たちの「Eアイランド」だ！

その頃、国内の航空管制は混乱し、全ての発着便は滑走路の上で待機していた。幸い墜落などの惨事には至っていなかった。

大阪空港に入った自衛隊が滑走路を巡廻している頃、異変を嗅ぎつけた者たちによって、「首謀者は誰だ？」というネット上での書き込みが始まっていた。

内閣からの指示で、事件は報道管制が敷かれていた。

だが、一般人が知ることになるのは時間の問題だった。

公安と自衛隊サイバー対策別働隊は、ある犯人像をつかんでいた。無論、事件がすぐに知られることはなかったが、Ｅアイランドの関与を疑わせる「ガセ」情報がすでにネット上に流れ始めていた。

先の攻撃に続いて第２波が来ると踏んでいた対策本部だったが、送電所、発電所、鉄道幹線、銀行や病院、上下水道制御装置、また一般市民のパソコンなど、どこにも被害が出ていなかった。

大和は、かつての勤務先で運輸省外郭団体から通信プロトコルの安全対策の依頼を受け、暗号化プロトコルの生成プログラムを担当したことがある。

そのときの経験から、主電源がブラックアウトした場合、非常電源に切り替わるが、主要部に電力を集中させるため、管制下にある航空機へのサービス用の回線電源や、機長以外の交信回線の復旧は後回しにされることを知っていた。

今回の事件が、Ｅアイランドの信用失墜になるなら、現場で信用を復活させればいい！

大和はそう考えたのだ。

――準備はいいか！

大和はクーロン輻射送信室へ内部端末で指示を出した。

――ＯＫです！

――よし、発信してくれ！

――了解！

クーロン輻射通信

自衛隊が滑走路上の各航空会社の機体を巡廻し、乗客の脱出の指示を待っている頃。不安が募った乗客らの端末にどこからか、メッセージが届きだした。

そのメッセージは、スマートフォン、ネットテレビ、そして機内のモニターなど、あるチャンネルに回線契約のある全ての人に向けて発信されていた。

そのチャンネルとは「Ｅランドワールド」。Ｅアイランドの広報チャンネルである。

ＥＭＰ攻撃と無関係な地域ならわかるが、攻撃で電源がダウンしてしまった地域まで、どうして「Ｅランドワールド」が受信されたのか？

それが「クーロン輻射通信」の側面的な特徴だった。

１９００年初頭、Ｊ・Ｐ・モルガンの資金援助で完成した送電塔「ワーデンクリフ」。それは情報送信と電力送信の能力を併せ持つ、未来の送電技術だった。

だが、モルガンの出資停止により頓挫し、戦時下でもあり悪意ある情報により撤去されてしまった幻の技術だ。

Ｅアイランドは、１００年の時を経て、その技術を復活させていた。

大和が行った起死回生の一策とは、航空機内で不安に陥っている乗客への「Ｅアイランド」からのメッセージだったのだ。

その内容は、現場にいた自衛隊員や航空管制の職員もまた確認できた。

内容は他愛もないものだった。

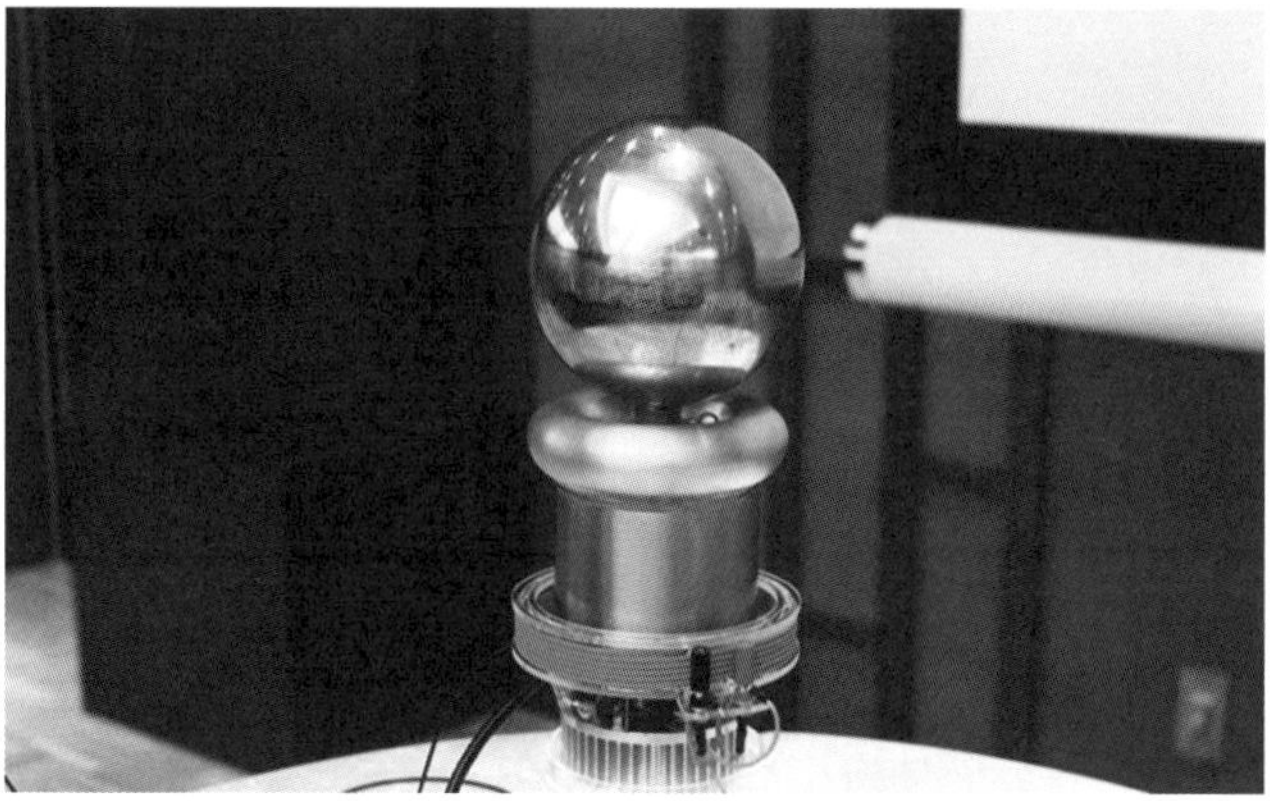

クーロン輻射装置

「私たちは、Ｅアイランドの放送局です。ご契約者様にメッセージをお届けします。

どんな状況でも勇気を持っていてください。

Ｅアイランド放送はどこでも受信できます」

電力と情報を一気に送信できるクーロン輻射技術は、完全ではないものの、受信環境の悪い地域の被災者へも「安心」のメッセージを送り続けたのだ。

――バッテリー切れしてたのにメッセージが来た!!

――ありがとう！

そんなメッセージが、少しずつだが「Ｅラ

ンドワールド」のコメントに書き込まれるようになっていった。放送施設がダウンした地域や、不安が広がっていた人々は「安心」を伝えるチャンネルに注目した。これは被災者の感情を熟知した大和の機転だった。

——ＳＣＭが攻撃してくるなんて、誤解してすみませんでした。

若者が。

——初めから疑ってなんていませんでしたからねぇ！

そう伝えてくる女性。

対策を終え、会議室へ報告した大和に、議長が声をかけてきた。

——大和君、無断で通信を行った責任を取らされるだろう。

そのことは大和がいちばん承知していた。

——はい。わかっております。

——先ほど、幕僚長から内々の連絡があった！

不審な顔の大和に議長は続けた。

——貴下の〝協力に、感謝する〟…とのことだ。

——そ、それでは……。

議長と他の幹部たちは、顔を見合わせ笑っていた。

大和が不意な感涙をかろうじてこらえ、議長を見ると、苦難を重ねたその顔に大粒の涙が光っていた。

不審者の発見

大和は、事後の処理を急いでいた。宇宙空間のＥＯＳ《イーオス》に連絡した。船にいる息子・那由多に、ＥＯＳの衛星監視で何かつかめないか問い合わせたのだ。ほどなく、那由多から連絡が入り、第２波のＥＭＰの痕跡はないことがわかった。

長男の舦を大学から呼び寄せた。彼にも、大阪空港周辺の機能回復と、東京攻撃の兆候が消え去る目処が立つまで、Ｅアイランドの守りに加わってもらうためだった。

海上保安庁へ議長が事前に連絡してくれたおかげで、島へ入ることにさほど手間はかからなかった。

――遅くなってごめん！　専門違いかもしれんが、いないよりは……と思ってね。

觥は、今回の助っ人として自分のＡＩヒューマノイド・オモイカネを同伴していた。

彼らは、一丸となってＥアイランドへのサイバー攻撃に備えを固めた。

だが、なぜか。待てど暮らせど予想した攻撃は、なかった。


――あきらめたのか、もともと攻撃してくるつもりがなかったのか……。

――我々の裏をかいただけで満足したのか……。

――いや、攻めてこないわけはない。

緊張の中に一夜が過ぎ、島のメンバーも疲労の色を見せ始めていた。


そのとき、オモイカネが意外なことを言い出した。

「スタッフが足りませんね」

「まあそう言うなよ。足りないのは初めからわかっていたことさ」と觥。

だが、オモイカネが言ったのは「人手」のことではなかった。

「昨日から、持ち場を離れている時間が不自然に長い人がいます」

そして、その人物の顔を、施設内の閲覧用人物データから駪の端末に送ってきた。

——スパイか？

駪は、オモイカネに尋ねた。

「現時点の情報では断定はできませんが、その蓋然性は高いです」

——オモイカネ。そいつから目を離すな。

敵が、こんなアナログ的な攻撃を仕掛けてくるとは、盲点だった。

スパイ放逐

駪は、父と弟にオモイカネの情報を伝え、父からは防護用の小型デバイスを渡された。

その小さなデバイスは、殺傷能力はないが、悪意ある者から身を守るためのものだった。相手の神経に物質波共振を起こさせ、一時的に行動不能にする一種の《スタンガン》だった。

これを手首に巻き、手の甲側にアンテナを貼っておくと、破壊的な「想念周波数の接近」で自動的に電源が入り、平面アンテナから物質波を発振して１ｍ以内の敵をマヒさせることができる。

光二は、魷に《小型デバイス》を渡しながら、

「無理はするな。こんなものは子供だましだ。相手は銃を持っているかもしれないからな」

「わかってますよ」

早速、オモイカネが「敵」を特定したと知らせてきた。

先ほどの魷の情報から、光二が議長にランドのデータベースに「オモイカネ」をアクセスさせる許可を得て、間もなくのことだった。

オモイカネが示した情報によると、ある特定の人物が複数回に渡りランドの8段階あるセキュリティランク「レベル4」へアクセスしていた。その人物はEアイランドネットワークと独立した端末から、一部のデータを外部へ送った可能性がある。

報告を受けた大和光二は、頭を掻いた。

「なるほどね、そんなレトロなやり方をしていたか……。道理で、外で大騒ぎを起こしながら、力業の攻撃を未だにしてこないわけだ」

「ヒューミント…。クラッキングではなく人的破壊工作か」

「データが既に漏洩《ろうえい》したと考えたほうがいいだろう。だが、そこまでだ…」

光二は、早速、仔細を自室に戻った議長に報告した。

犯人は、最高幹部メンバーWが管轄する部署の一人だった。議長が、

「W君に、至急ここへ来るように。本人に、直接伝えなさい…。」

そう秘書に命じて、大和父子、そしてオモイカネに言った。

「よくやってくれた。君たちは、もう戻ってください」


䴵を伴い議長室を出た光二は、身元調査を徹底しているはずのEアイランドに、エージェントの入り込む隙があったことを深刻に受け止めていた。

——存外、私のような機械屋は、アナログ的なところに盲点があるのかもしれないな。

70代にして、自分の新たな課題が見つかったように感じた。

そんな父の思いをよそに、空と地上で連絡を取り合う兄弟は楽しそうだった。

「ちぇっ、武器を使う場面が見られなかったな」と那由多。

「危険な目に遭わなくてよかったじゃないか」と䴵。

舦が連れてきた思いがけぬ功労者、オモイカネは、

「私は、ご褒美を希望します！」と無表情な顔であるじに要求を出していた。

戦友——

日本とEアイランドへの攻撃は、ひとたび去った。

後日、大和光二は一人、宗像圭祐の墓前に報告をした。

40年の間に、光二の内面にも多くの変化があった。

話をしたこともない宗像を、いつしか「戦友」と感じるようになったのも、そんな変化の一つであろう。

洋子やアマネとの長いつきあいを通じて、亡き圭祐に身内のような感情を抱くようになったのも確かだ。だが、それだけではなく、長年自分の闘ってきた「影」が、かつて若き外交官の命を奪ったものにも通じると、この齢になって確信を深めている。

オモイカネが犯行を見破ったエージェントと、その上司であった最高幹部Wは、事件後

程なく日本の公安に身柄を拘束された。

だが彼らは、尋問に対して何も語ってはいないという。

あたかも呼応するかのように、米国ではセンセーショナルな事件が話題になった。対ＥＭＰ防諜戦の決着と、ほぼ時を同じくして、身元不明の紳士の物言わぬ骸《むくろ》がハドソン川に浮かんだというのだった。

事件の背景は闇に包まれたが、大和光二は幕僚長のメッセージから「国の事情」をおおむね理解した。

ＥＭＰ爆撃を伴う諜報攻撃を前にして、おそらく国家安全保障会議は米国から何らかの情報を得ていたであろう。

米国大使館から「対策」を要請された日本政府は、いざという時にはEアイランドをスケープゴートにすることも想定しながら、事態の収拾を図っていたのだ。

海千山千の幕僚長は、安全保障会議が想定していなかった大阪攻撃を機に、自分が現場を離れることで、Ｅアイランドに「自ら潔白を証明する機会」を与えてくれた。

そのように光二は理解していた。

「日本人同士の、阿吽《あうん》の呼吸というヤツかね、宗像さん」

光二は仏教徒だが、《戦友》に敬意を払うつもりで胸の前で十字を切り、墓前を後にした。

終章

未来へ、そして宇宙へ／2070年

未来へ――半世紀の時がもたらす変化

舞台は2070年へと進む。

我々が今生きている2020年から、時を下ること50年後の世界だ。

50年、即ち半世紀の歳月は、どこまで文明を発展させ、世の中を変えるだろうか。本書では、そこまでの見取り図を示してきたつもりである。

半世紀という時は、振り返れば「ついこの間」のように感じる時間でもある。

2020年から50年を遡《さかのぼ》った1970年といえば……、

その年、我が国では「大阪万博」が開催されていた。そして……、

その前年、1969年こそは、米国がアポロ11号を打ち上げ、月面に初めて宇宙飛行士を送り込んだ年である。

そう聞いて、どう感じるだろうか?

懐かしい時代だと感じる人も少なくないだろう。だが、宇宙開発に関しては、まるで時

が止まったままのようでもある。

他方で、1970年には、携帯電話もなければ、パーソナルコンピュータもまだ存在していなかった。将来（現在）の世の中でスマホが必需品になることなど、当時、誰が想像していただろうか？

2070年の世界が、どれほど我々の想像の彼方にあるか、イメージしていただけるのではないだろうか。

研究宙間を求めて

その2070年、50歳になった大和那由多《やまとなゆた》は、宇宙ステーションEOS《イーオス》の船長の座を、後進のエンジニアに譲った。

だが、地上に戻ったわけではない。むしろ経験と実績を買われて、新たな実験用宇宙船の操縦に当たるようになったのだ。

そして今も、数人のクルーと研究のため木星付近にとどまっていた。

――それにしてもデカいですねぇ。怖いぐらいだ…。

初めて木星を間近に見るクルーがつぶやいた。

「うん、私も初めは驚いた。重力を遮断して飛ぶ重力機に乗っているくせに、この星に吸い込まれるような錯覚に陥ったよ」

――そうなんですか…。すごく神秘的ですよね。

那由多も驚いたと聞いてホッとしたのか、改めて木星の威容に眺め入っている。

「よく見ておけよ。そろそろ木星軌道を離れるからな」


彼らの大型重力機は、地球の周囲にとどまっているEOSとよく似た外観だが、それより一回り大きい。宇宙空間で建造された宇宙実験施設だ。

この新型船「ESES《イーセス》（エクボ・スペースエクスペリメントステーション）」は、大型化した分、EOSよりも居住性が高められ、船内では宇宙服が不要だった。

航海は、実験空間を求めてアステロイドベルト（火星と木星の間の軌道にある小惑星帯）の外側まで進出していくことが多い。そこでEアイランドでは「外太陽系探査船」と呼ばれることもある。

大国への皮肉を込めた、自虐的別称だ。

数年前、ＥＯＳの研究棟で実験を続けていたエンジニア陣が、暗黒物質を元素化する基礎技術を完成させた。物質化技術も、次は初期の実用化段階である。

だがそれ以来、大国がいっそう宇宙空間での陣取り合戦を激化させた。空間そのものに、資源としての価値を認めたためだ。

研究を推進したくても、領有権主張の目安となる星々が飛び交う火星までの「内太陽系」には、ＥＯＳが長期間、腰を据えて研究に専念できる宙間が残っていない。

若いクルーに、ひとしきりそうした話を聞かせ、那由多は尋ねてみた。

「無限にあるものを、なぜ人類は奪い合わなければならないのだろうね？」

急に難しい謎をかけられた青年は、「はぁ……」と戸惑っている。

宇宙からのメッセージ

今回の航行の最中に、ＥＳＥＳは、明らかに人類のものではない信号に接した。

――ついに（ほかの惑星から）メッセージが来たか？

那由多は、昔から、そうした現象に巡り合うことを心待ちにしていた。そこで、はやる気持ちを抑えながら、操縦席のスタッフに信号の捕捉を命じた。

――船長。ワクワクしますね。

「うむ」

彼には本音が隠せない。また隠す必要もない。那由多の相棒とも言えるＡＩヒューマノイドだからだ。

那由多が「ヒデオ」と呼んでいるそのＡＩロボが、信号の追跡・増幅を試みているうちに、実験を一段落させたスタッフが揃いだし、全員がその信号に意識を集中していた。

――通信のようですね。

そう結論付けたヒデオに、

「やはりそうか」

うなずくと、10人ほどのクルーが我先にと、ヒデオへ質問を浴びせる。

――皆さん、一度に質問しないでください。

宇宙開発の初期から、人類は地球外の知的生命体に向けたメッセージを発してきた。

１９７２年のパイオニア10号、73年の同11号は機体に、太陽系や人類の絵を描いた金属板を付けていた。

1977年のボイジャー1号、2号も、音声や画像を収めたメディア「ゴールデンレコード」を積んでいた。

メッセージは地上からも送られたことがある。1974年にプエルトリコのアレシボ電波天文台から発信された「アレシボ・メッセージ」が有名だ。

だが、彼らがメッセージを発信してきたという記録はまだない。

実は彼らは、すでに地球に来ている。

そう思われる記録がかなりある。古くはブラジルの巨石、ペドラピンダータ遺跡や日本にもそれらしい記録はある。陰謀論では代々のアメリカ大統領が秘密裏に情報を伝承してなど、噂は枚挙にいとまがない。

もしかしたら、本当に高度な文明を持つ彼らは私たちが気がつかないうちに地球を訪れ、足跡を残しているのかもしれない。

だが、何らかの理由で地球側のメッセージを黙殺しているのか、通信技術のマッチングが悪いのか、交信は実現していない。

私はこれからの人々がいつの日か他の惑星と交流して欲しいと願っている。その最初のコンタクトは日本人が行ってほしい。

彼らは、我々の技術革新を待っているのかもしれない。

国際社会への報告

ヒデオは、「宇宙からのメッセージ」を記録しながら、その特徴を解析していた。

そして数分後、ある特殊なコード変換をすると、それが地球の言葉によく似た信号に直せることを発見した。

「地球の言葉だって?」

「何語なんだ、おい、英語か?」

分析を待ちきれないクルーが尋ねると、ヒデオはおもしろいことを言った。

――さまざまな言語が、アトランダムに混ざり合った言葉です。皆さんが聞いても、たぶん意味不明だと思います。私はわかるけど……

「いったい、どんな混ざり方なんだ?」

――混ざっている要素が多い順に、中国語、英語、ヒンズー語、スペイン語、アラビア語、ベンガル語、ポルトガル語、ロシア語、日本語、フランス語……

「その言語を選んだ根拠がよくわからんな」

「日本語も入っているのか?」

——はい、でも、少しだけです。

「いったい、どういうブレンドをしてるんだ……」

——簡単なこと。その言語を使っている人口が多い順です。

ＡＩの答えは早い。クルーが全員、あっけに取られたような顔を那由多に向けた。

彼はせき払いをして、

「ヒデオ、ありがとう。これはメッセージに違いないな」と言った。

那由多は、こうした場合の取り決めに従って、ＥＯＳへデータを送った。

関連研究機関へのデータ確認の依頼と、日本政府への届出を託した。

日本政府は、情報の信ぴょう性を確認したうえで、国連をはじめとする国際機関に連絡を入れることになる……。

11カ国連合チーム

――2070年7月24日。

那由多は、太陽系内を「強速」で航行している彼の大型重力船のブリッジにいる。

「ブリッジ（艦橋）」とは、むろん地球の海を行く船になぞらえた呼び名で、実際には、ESESの中心付近に位置していた。

そんな呼び方になったのは、他国の飛行士が大挙して乗り込んできたからだ。

日本人搭乗員たちが、外様の多国籍クルーに那由多の「権威」を示そうと、ことさらにブリッジとかキャプテンとか言い出したのだ。

――ブリッジに報告！

――キャプテン！　まもなく土星圏です。

「そうキャプテン、キャプテン言うなよ」

ぼやきながら那由多は、外国人クルーたちのモニターに向かい、地球との通話を促した。

「ぼちぼち太陽系から出ていく。手もとにある機械で、あんたらの家族と話しておけ」

海外勢は、ＥＳＥＳの性能と装備に驚いていた。

まず驚いたのは、宇宙服要らずの居住性と、地球を離れるときの静寂さだった。彼らの一部は、大気圏外に出るまで重力機の性能を信じず、宇宙服を着込んでいたぐらいだ。

では、今回、米国、台湾、インド、メキシコなどから、多国籍の飛行士10名が集められたのはなぜか？

それには、２つの理由があった。

太陽系外探索自体、１カ国の計画では許可されなかったことだ。

20世紀（１９５９年）以降、宇宙空間には既にたくさんの国際法規があり、地球の衛星である月でさえ各国間で遵守しなければならない「宇宙法」が複数存在する。

各国は太陽系外への進出を自国の進出として公に記録する必要があり、多国籍のクルーの乗船となったのである。

那由多はＥアイランドの議長に、「ヒデオがいるから外国勢は要りません」と言ったのだが、そこはより上の決定であり、従うほかない。

——それにな、大和君。多勢の懐に飛び込んで懐柔を図ることも、たまには必要だからな。

言われてみるとそのとおりで、返す言葉もなかった。

いざ、太陽系外へ

そう。

今回の航海は、太陽系外に地球人類の交易の可能性を探る目的もあるのだ。

計画は、片道1年以内の航行だ。

「ヒデオ、ほかのクルーから聞かれたら、想念通信機の使い方を教えてやってくれ。特に、地上の通常電話につなぐやり方な。私、わからないから」

——了解しました。

那由多も、地上と当面最後となる交信をした。

「EQ《イーキュー》、兄貴を呼んで」

家族には、すでに別れを告げていた。このタイミングで話すべき相手は兄だと決めていた。

那由多の声に反応した想念通信機《ＥＱフォン》は、大学の教授室にいる大和航《こう》に即座にアクセスした。

「兄貴、そろそろ機関全速に移行する頃合いだ。行ってくるよ」

――ああ、心配はしていないが、気をつけてな。

ＡＩの想念増幅で明瞭に会話をしているが、船の中は静寂に包まれている。

地上の家族にしばしの別れを告げているクルーたちも、言葉を発しているわけではないからだ。

那由多は、いつもの冷めたトーンで兄に言う。

「救助から研究まで、幾つになっても大国の使い走りだよ」

――そう言うな。いつか日本の技術が覇権争いを終わらせるよ。

「そう思うんだが、どうも今回は報われない気分がぬぐえない」

――うむ……、お前たちの船は、俺たちの国の技術の粋だ。畳の上に土足で上がり込まれたような気分なんだろう？　わかるよ。

「ああ……。今度さ、いつか俺の船に乗ってくれよ、兄貴」

――そうしよう。では、まあ、寂しかろうが頑張ってきてくれ。成果を待ってる。

「……」

想いが言葉にならない。それを察したか、兄は子供の頃のような言葉を口にした。

「そうだ！　宇宙人に会ったらよろしく言ってくれ。頼んだぞ！」

「あ……。ああ、そうするよ」

地上の舵は、（我ながら感傷的になりやがって）、そう弟が思ったのを感じた。

数分後、宇宙研究重力機は、母なる太陽系の海から音もなく消えて征った。

おわりに

未来は明るい！

未来の社会は明るい！

ＡＩとロボット工学の発達は、いずれ航《こう》のパートナーであるオモイカネのような「人間の友人」を生み出すに違いない。

その頃には、「超電導構造体」がエレクトロニクスの基礎技術となっており、彼らのコンピュータは、極めて低出力で、超高速の演算処理を行うようになっている。

無数のコンピュータを結ぶサイバー空間も、オモイカネのようなＡＩヒューマノイドが存分に活躍できる環境だ。

また超電導構造体は、駆動時に発熱せず熱を奪う。かつてない、極めてエネルギー効率の高い電化社会が構築される。

超電導の素材が基盤となって、それまで作れなかったメカも出現する。半導体が現代のテクノロジーを一変させたのに匹敵するか、それ以上のイノベーションだ。

さらに「振動」の研究が進み、その周波数を制御する技術が出てくるだろう。

そして、人が重力を制する時代が来る。

那由多《なゆた》を宇宙に運ぶ「重力場機関」のような乗り物が現れ、従来の宇宙工学技術では到底なしえなかった「はるか彼方の宇宙」への航海が可能になる。

やがては動力の転換が進み、燃料にエネルギーを依存してきた産業構造も変わる。そうすれば、人類はエネルギーを握る者の支配から、より自由になれるだろう。

アマネが心を寄せるような貧困国は、2070年頃にはなくなっているはずだ。

その実現に欠かせないのが、膨大な需要を賄える水と食糧の供給だ。温暖化ではなく、寒冷化へ向かう世界で、水の確保と食糧の増産が、より喫緊の課題となる。

そこで、植物を成育させるエネルギー（光源）を太陽に頼らない大規模ビル農場や、生物を育み、その健康と作物の収穫量を向上させる周波数発振技術が生きてくる。

そして、超電導素材によって完成される「超高周波発振回路」が、空間の物質波から資源（物質）を生み出し、活用できるようになる。

人類は、資源争いに血道を上げる必要がなくなるのだ。

従来の思考の枠組みを出よ！

だが、そのためには我々が変わらなければならない。

枠にしがみつき、内にこもっていてはいけないのだ。


２０２０年、我々は全世界に「パンデミック」を演出したコロナ騒動を経験した。

その大事件を経た今、世の中は、ますますネットへの依存度を高め、サイバー社会に焦点が当たっていく。ＩｏＴ化は、速度を増していくだろう。

その激変の中で、皆さんに確かな歩みを進めてほしい。そのために、テレスタディーの普及や、サイバー国家の成立など、近々この世界に起こるであろう変化を示した。

そして、その先に登場してくるだろう技術。その中でも社会へのインパクトが強いと思われるものを取り上げ、そのテクノロジーが溶け込んだ社会のイメージを描いてきたのだ。

コロナは世界を変えた！

我々は、その変化を先取りしよう。

先進国で高齢化とともに人口が減る一方、途上国では人口の爆発が続く。それが、人類の置かれている状況だ。

我が国は、高齢化という社会構造の変化で、世界の先頭を切っている。いわば「高齢化先進国」である。

そこでまず、高齢化に対するネガティブな思い込みを吹き飛ばす必要がある。

年齢に対する思い込みを捨てよ！

人類は、古代から不死や長寿を夢見てきた。不死があり得ないことはさておき、長寿は、ここ日本ではほぼ実現されており、ますます長命化が進む傾向だ。

それを喜び、歓迎すべきである。

今、高齢化が「いけないこと」でもあるかのように考え、悲観的な情報や意見を発信する人が多い。

そうした考えは暗い。性格的に暗いだけでなく、暗愚である。

「問題」は、従来の仕組みに頼り、守りに入っているから生まれるのだ。現に高齢化している社会を前提に、素直に考えてみればいい。

我々の先祖は、平均寿命50年を、命尽きる直前まで懸命に利他心で生きてきた。また、ある者たちは、いや大勢の若者が、二十歳前後で同胞のために命を散らしてきた事実もある。

それは何のために、だったか。

そうした貴重な礎《いしずえ》の上に生きてきて、自分は「余生」が30年？

何かを大きく間違っていないか、と問いたい。

幻想から自由になり、飛翔せよ！

私は50年後、日本人の寿命が１５０歳ぐらいまで伸びるのではないかと考えている。そうする技術が生まれてくるはずだからだ。

２０７０年、光二《こうじ》と陽子《ようこ》の大和《やまと》夫妻はともに80代、宗像洋子《むなかたようこ》は77歳となる。だが彼らは、まだまだ若々しい姿と心で、現役の世代として人生を謳歌しているはずだ。

特に今回、大和光二の姿に、そうした未来の人間像を表現してみた。

日本人は「２０３０年問題」などという幻想から抜け出すべきだ。今の仕組みから得られる果実は、その枠の中で思考すれば限られてしまう。

では、その枠から出ればよい。

コロナで失ったものを惜しんでいる間に、代わりに得たものがないか、考えてみるとよい。

世界の見え方が、何か変わったのではないだろうか？

国家財政に対する誤った常識も、この際、正されるとよいだろう。

今、「少子高齢化問題」と言われているものは、いつの間にかどこかで作られた「壮大なフィクション」かもしれない。

私は皆さんに、フィクションに騙《だま》されるな、と言いたい。

問題の多くは、元気満々の多くの高齢者が、若者に利他の範を示しながら前進すれば解決する。日本人は、今こそ原点に帰って、来たるべき未来社会への羅針盤を、世界に向けて示す必要がある。

勇気を持とう！

目指すべき世界

我々は、宇宙を目指すべきだ。

自分たちが生きている間に、宇宙に行けるかどうかはわからない。だが、人類は宇宙を目指す。その羅針盤を示すのだ。

現代の我々が先人たちの歩みの跡をたどっているように、未来に生きる餓や、アマネ、そして那由多は、あなた方の歩みを継ぐ者なのだ。
私は彼らに、宇宙を制して欲しいと願う。
そして、他の惑星といつの日か平和な交易を実現して欲しいと思う。
そのために、私も挑戦を惜しまない。
宇宙を目指す我々の姿を、彼らもどこからか見ているはずだからだ。

【著者紹介】

清水 美裕 SHIMIZU YOSHIHIRO

1958年生まれ。慶應義塾大学通信課程法学部法律学科、日本電子工学院電子工学科卒。日本のフリーエネルギー技術開発の草分けの一人。株式会社トッパンムーアオペレーションズ、日本アイビーエム株式会社、私学塾フレンド学院、株式会社アマダ特許部を経て、2000年にエクボ株式会社を設立。手指への近赤外線等による自律神経調整装置「暖ぽ〜る」、DNA光回復酵素活性化蛍光光源「nano400」などを開発し、物質の周波数毎の共振現象技術を追求してきた。現在、次世代イノベーションの中核技術である超電導構造の研究開発に注力し、ヒロコ財団、エクボ財団を通じて会員企業の事業化をサポートしている。

本書についての
ご意見・ご感想はコチラ

未来科学2070　サイバー時代を支える日本の技術

2020年6月30日　第1刷発行

著　者　　清水美裕
発行人　　久保田貴幸

発行元　　株式会社 幻冬舎メディアコンサルティング
〒151-0051　東京都渋谷区千駄ヶ谷4-9-7
電話　03-5411-6440（編集）

発売元　　株式会社 幻冬舎
〒151-0051　東京都渋谷区千駄ヶ谷4-9-7
電話 03-5411-6222（営業）

装　丁　　幻冬舎デザインプロ
印刷・製本　瞬報社写真印刷株式会社

検印廃止
©YOSHIHIRO SHIMIZU, GENTOSHA MEDIA CONSULTING 2020
Printed in Japan
ISBN 978-4-344-92948-7 C0054
幻冬舎メディアコンサルティングＨＰ
http://www.gentosha-mc.com/

※落丁本、乱丁本は購入書店を明記のうえ、小社宛にお送りください。
送料小社負担にてお取替えいたします。
※本書の一部あるいは全部を、著作者の承諾を得ずに無断で複写・複製することは
禁じられています。
定価はカバーに表示してあります。